Vivre, c'est guérir !

Infographiste : Johanne Lemay
Correction : Élyse-Andrée Héroux et Céline Vengheluwe

Catalogage avant publication de Bibliothèque et Archives nationales du Québec et Bibliothèque et Archives Canada

Bordeleau, Nicole, 1957-

Vivre, c'est guérir

ISBN 978-2-7919-3495-4

1. Bordeleau, Nicole, 1957- . 2. Hatha yoga - Emploi en thérapeutique. 3. Méditation - Emploi en thérapeutique. 3. Hépatite C - Patients - Québec (Province) - Biographies. I. Titre.

RC848.H425B67 2012 362.196'36230092
C2012-942051-4

10-12

Dépôt légal : 2012
Bibliothèque et Archives nationales du Québec

ISBN 978-2-7619-3495-4

DISTRIBUTEURS EXCLUSIFS :

Pour le Canada et les États-Unis :
MESSAGERIES ADP*
2315, rue de la Province
Longueuil, Québec J4G 1G4
Téléphone : 450-640-1237
Télécopieur : 450-674-6237
Internet : www.messageries-adp.com
* filiale du Groupe Sogides inc.,
filiale de Québecor Média inc.

Pour la France et les autres pays :
INTERFORUM editis
Immeuble Paryseine, 3, allée de la Seine
94854 Ivry CEDEX
Téléphone : 33 (0) 1 49 59 11 56/91
Télécopieur : 33 (0) 1 49 59 11 33
Service commandes France Métropolitaine
Téléphone : 33 (0) 2 38 32 71 00
Télécopieur : 33 (0) 2 38 32 71 28
Internet : www.interforum.fr
Service commandes Export – DOM-TOM
Télécopieur : 33 (0) 2 38 32 78 86
Internet : www.interforum.fr
Courriel : cdes-export@interforum.fr

Pour la Suisse :
INTERFORUM editis SUISSE
Case postale 69 – CH 1701 Fribourg – Suisse
Téléphone : 41 (0) 26 460 80 60
Télécopieur : 41 (0) 26 460 80 68
Internet : www.interforumsuisse.ch
Courriel : office@interforumsuisse.ch
Distributeur : OLF S.A.
ZI. 3, Corminboeuf
Case postale 1061 – CH 1701 Fribourg – Suisse
Commandes :
Téléphone : 41 (0) 26 467 53 33
Télécopieur : 41 (0) 26 467 54 66
Internet : www.olf.ch
Courriel : information@olf.ch

Pour la Belgique et le Luxembourg :
INTERFORUM BENELUX S.A.
Fond Jean-Pâques, 6
B-1348 Louvain-La-Neuve
Téléphone : 32 (0) 10 42 03 20
Télécopieur : 32 (0) 10 41 20 24
Internet : www.interforum.be
Courriel : info@interforum.be

Gouvernement du Québec – Programme de crédit d'impôt pour l'édition de livres – Gestion SODEC – www.sodec.gouv.qc.ca

L'Éditeur bénéficie du soutien de la Société de développement des entreprises culturelles du Québec pour son programme d'édition.

Conseil des Arts du Canada   Canada Council for the Arts

Nous remercions le Conseil des Arts du Canada de l'aide accordée à notre programme de publication.

Nous reconnaissons l'aide financière du gouvernement du Canada par l'entremise du Fonds du livre du Canada pour nos activités d'édition.

Vivre, c'est guérir !

NICOLE
BORDELEAU

Une société de Québecor Média

À Hélène

Si tu évites l'enfer sur ta route, tu arriveras tout au plus à une verte prairie trompeuse, mais jamais au véritable paradis.

IMRE KERTÉSZ, *Journal de galère*

Mille et une miettes

Le plus long jour de ma vie

Le 15 juillet 1996, au matin, ma vie a été fracassée en mille et une miettes par un simple appel téléphonique. Ce jour-là, malgré une autre nuit d'insomnie, la troisième d'affilée, j'avais réussi à me tirer du lit plus tôt que d'habitude. La météo annonçait un début de semaine caniculaire. Quand j'ai mis le pied dans la cuisine, une masse de chaleur s'est abattue sur moi, confirmant que la journée serait étouffante. J'ai allumé une cigarette et mis la cafetière en marche. Quelques secondes plus tard, l'odeur du café commençait déjà à me donner la nausée. C'était comme cela depuis quelque temps. La moindre odeur de boisson ou de nourriture me soulevait le cœur.

Mon corps semblait peser une tonne, comme si tout mon sang avait été remplacé par un gel visqueux. J'avais l'impression de vivre dans un scaphandre, tellement j'avais la tête lourde. Une immense fatigue me submergeait. Si j'en avais eu les moyens, j'aurais annulé tous mes engagements professionnels et je serais restée au lit. Soudain, le téléphone a sonné et j'ai reconnu sur l'afficheur le numéro de la Dre Vachon. Trois semaines auparavant, je l'avais consultée, puisque depuis quelques mois mon état de santé s'était passablement détérioré.

« Bonjour, Nicole. Avez-vous quelques minutes ? »

Je me suis levée brusquement de ma chaise. Lorsque votre médecin vous téléphone le matin, c'est qu'il y a quelque chose de grave. Un frisson d'inquiétude m'a parcouru la colonne vertébrale.

« Euh... oui..., lui ai-je répondu nerveusement, en trépignant.

— J'ai reçu les résultats de vos analyses. J'ai bien peur que les nouvelles ne soient pas aussi bonnes que je l'avais espéré. Savez-vous ce qu'est l'hépatite C ?

— Euh... je n'en suis pas certaine... »

Je cherchais mes mots. J'avais déjà entendu le nom de cette affection, mais je n'en savais pas davantage.

« C'est une inflammation du foie causée par un virus. En fait, c'est une maladie chronique. »

L'odeur du café flottait dans toute la pièce. Une nouvelle vague de nausée m'a fait frissonner de la tête aux pieds. Une maladie chronique ? Mais non, ce n'était pas possible. Pas moi ! Pas maintenant ! Je pressentais bien, depuis un certain temps, que mon corps était rendu au bout du rouleau, mais, malgré les nombreux avertissements qu'il m'adressait, je m'entêtais à faire la sourde oreille. Quand mon entourage s'inquiétait de me voir si pâle et amaigrie, je leur opposais aussitôt mon propre diagnostic : j'avais attrapé un microbe inoffensif, de ceux qui disparaissent en quarante-huit heures. Quarante-huit heures plus tard, les malaises persistaient et je repoussais de nouveau la réalité en affirmant que ça irait beaucoup mieux le surlendemain.

Après chaque repas, des nausées et une pression inhabituelle dans le côté droit me faisaient regretter d'avoir mangé. Les points noirs qui valsaient devant mes yeux m'empêchaient de me concentrer, si bien que la moindre tâche me demandait un temps fou. La nuit, je me réveillais souvent en sursaut, trempée jusqu'aux os, et je devais changer de pyjama. Jour après jour, je n'avais qu'une seule envie : dormir, dormir, et dormir ! J'étais si épuisée que j'aurais pu m'assoupir n'importe où, n'importe quand, assise, couchée, debout, ou même la tête en bas.

À la fin juin, je n'en pouvais plus. J'étais si mal en point que je suis allée à la clinique. La D[re] Vachon m'a examinée tout en me questionnant sur mes symptômes, puis elle m'a pesée. Premier constat, j'avais perdu environ trois kilos. Ensuite, du bout des doigts, elle m'a palpé l'abdomen. « Expirez complètement », m'a-t-elle dit en écrasant mon flanc droit. Une douleur sourde m'a traversé le corps et j'ai dû serrer les lèvres pour ne pas crier. L'examen terminé, je me suis rhabillée. J'espérais de tout cœur qu'elle me prescrirait un médicament contre ces malaises, mais je devrais plutôt subir des analyses biologiques. J'étais déçue, mais en rentrant à la maison j'ai essayé de ne plus penser à tout cela. J'y suis parvenue, jusqu'à ce matin du 15 juillet, quand le téléphone a sonné.

« Je vais transférer votre dossier au service d'hépatologie de l'hôpital Saint-Luc. D'ici quelques jours, vous devriez recevoir un appel pour un rendez-vous avec un spécialiste. »

Je revivais la même sensation angoissante que lorsque j'avais sept ou huit ans et que mon père rentrait du travail. Les bons jours, il pouvait se montrer charmeur et plein d'humour. Ces jours-là, il écoutait Nana Mouskouri ou sifflait des airs d'opéra. Par contre, lorsqu'il était stressé, fatigué ou simplement de mauvaise humeur, je me tenais loin de lui, car il pouvait me punir sans raison. Quand il s'approchait de moi, le regard menaçant et les yeux exorbités, je cessais de respirer.

« Pourquoi ? Pourquoi moi ? Qu'est-ce que j'ai fait de mal ? Qu'est-ce qui va m'arriver ? Non, s'il vous plaît, pas encore moi ! »

J'étais debout, les mains crispées sur le combiné, revivant cette scène du passé, alors que la Dre Vachon, au bout du fil, me demandait si j'avais des questions.

« Avez-vous d'autres patients qui souffrent de l'hépatite C ?

— Pour le moment, vous êtes la seule. »

Elle avait prononcé ces mots avec une telle compassion que j'ai failli fondre en larmes. « Quels sont les symptômes ? Et les traitements ? Vais-je guérir ? Pourrai-je continuer à travailler ? Qui paiera mon hypothèque ? Et le solde de mes cartes de crédit ? À quel rythme la maladie évoluera-t-elle ? Mon apparence se dégradera-t-elle ? Vais-je souffrir ? Vais-je en mourir ? » Dans ma tête s'entrechoquaient toutes ces questions, mais je n'ai réussi qu'à souffler un faible « merci ». La Dre Vachon m'a ensuite recommandé de me reposer, puis, avant de raccrocher, elle m'a souhaité bonne chance.

Une maladie chronique ? Comment ? Quand ? Avec qui ? Pourquoi ? Il fallait que je sache tout, tout de suite ! Je me sentais incapable de rester dans l'ignorance en attendant de consulter ce spécialiste. J'ai songé à rappeler la Dre Vachon. Elle avait peut-être commis une erreur. « Êtes-vous absolument sûre de ces résultats ? Êtes-vous certaine d'avoir le bon dossier ? » Mais, dans mon for intérieur, je savais que c'était peine perdue. « Qu'est-ce qui va m'arriver, maintenant ? » Le déni qui m'avait permis de franchir les derniers mois s'est écroulé tout d'un coup. J'ai pris ma lourde tête entre mes mains et j'ai attendu des larmes qui ne sont jamais venues. À leur place, une voix froide est montée en moi, martelant mes tempes : « C'est ta faute ! C'est ta faute si tu es malade ! Tu l'as bien méritée, cette maladie ! » C'était la « mauvaise voix ». Petite fille, je l'avais baptisée ainsi, car elle me rendait responsable de tout.

* * *

Je tente désespérément de m'accrocher au moment présent. *Ici et maintenant, j'inspire, j'expire...* Mais je perds pied et bascule de nouveau dans le passé. J'ai quatre ou cinq ans, je suis debout près du comptoir de la cuisine, les yeux fermés, me bouchant les oreilles avec les mains. Ce jour-là, il est furieux contre moi, car quelque chose dans le salon a volé en éclats et il m'en croit responsable. « C'est de ta faute ? » demande-t-il. Je sais que ce n'est pas une vraie question. Il ne faut surtout pas que je réponde. Je garde le silence. Quelques minutes plus tard, je suis en pénitence dans ma chambre. Partout où je vais, sa voix me pourchasse...

Aujourd'hui, cette voix est là, encore et toujours. « Maladie chronique. Hépatite C. Maladie chronique. Hépatite C. C'est ta faute ? C'est ta faute ! »

En pièces détachées

J'ai une bombe en plein cœur du sternum et elle est sur le point d'exploser. Cinq... quatre... trois... deux... Tic-tac... Tac-tic... Changement de tempo ! Tac... Toc... Soubresaut... Le temps s'épuise. Les aiguilles indiquent 8 h 54. Je regarde les secondes défiler sur le cadran de l'horloge... 8 h 55. En pianotant sur la table du bout des ongles, je rythme leur passage… 8 h 56… 8 h 57… 8 h 58… Comme un métronome, je marque la mesure. Je fais deux choses en même temps, je tape et je compte : 9 h 2… 3… 4… 5…

Dehors, tout continue comme si de rien n'était. Le chant des oiseaux, les jappements du chien du voisin, les cris des enfants dans la cour d'école. Moi, immobile, je fixe du regard un amoncellement de petits morceaux imaginaires à mes pieds. Ma vie vient d'exploser !

Je monte à l'étage pour m'étendre sur le lit. J'ai l'impression d'être complètement saoule. Je ferme les yeux et je surprends ma main gauche qui glisse nerveusement sur mon flanc droit, cherchant à localiser le foie. Je ne me doute pas que je répéterai ce geste des centaines de fois dans les années à venir. Que vais-je devenir ? Je me sens envahie, infectée, empoisonnée de l'intérieur. Je me blottis sous les couvertures. Malgré la chaleur, je grelotte. J'ai les mains et les pieds glacés. Et le silence dense, lugubre, pèse sur moi. J'ai peur de lui. Pour le fuir, je me relève brusquement pour aller me réfugier sous la douche. Mais il m'a suivie et s'y engouffre avec moi. Le giclement de l'eau presque bouillante m'engourdit la peau, me brûle les yeux, et mes larmes coulent. Que vais-je devenir ?

Petite, lorsque j'avais peur de quelque chose, je me réfugiais dans ma tête, où je parvenais à inventer un univers plus rassurant. Je me transformais en une héroïne livrant combat après combat, invincible. Ces scénarios qui me permettaient de réécrire ma réalité me redonnaient la force nécessaire pour réintégrer le monde des adultes. Cette fois, j'avais beau me dire que, comme d'habitude, je vaincrais ce nouvel obstacle, je n'arrivais pas à y croire vraiment. Mes codes, mes repères, mes stratégies de fuite d'autrefois n'avaient aucun effet. Je sentais la peur monter des profondeurs viscérales de mon être, le long de la colonne vertébrale, pour m'étrangler. Je suis sortie de la douche, ne sachant si je devais hurler ou si j'allais vomir. Durant toutes ces années, j'avais tout fait pour éviter ce moment, mais l'impossible s'était produit. Mon passé venait de me rattraper !

J'ai repoussé cette sensation au creux de moi et j'ai enfilé un jean et un vieux t-shirt orné du mot PROVINCETOWN. Après avoir noué mes cheveux mouillés en une queue de cheval, j'ai allumé ma troisième cigarette de la journée et je suis allée dans mon bureau, m'asseoir devant l'ordinateur. Terrifiée, j'ai tapé « Hépatite C » dans le moteur de recherche. Jamais je n'oublierai ce moment. Je me voyais agir, mais mon corps ne semblait plus m'appartenir. Toute ma vie était suspendue, en attente. J'avais les mains moites et de petites vagues successives d'angoisse battaient contre mes côtes. Puis l'information est apparue à l'écran.

> « L'hépatite C est une infection chronique causée par un virus appelé VHC. Ce dernier pénètre dans le sang et cause une inflammation du foie. Cette inflammation peut évoluer vers une cirrhose. La cirrhose est un durcissement des tissus du foie qui empêche celui-ci de fonctionner normalement. La cirrhose peut dégénérer en un cancer du foie. »

L'article médical m'a aussi appris que seulement 25 % des personnes infectées présentaient des symptômes dans la phase initiale de la maladie. D'autres pouvaient être porteurs asymptomatiques pendant des décennies. Et puis la lecture des lignes suivantes m'a secouée :

« Le virus se transmet par l'exposition à du sang infecté. À l'heure actuelle, de 70 à 80 % des transmissions sont attribuables aux drogues injectables, y compris le partage d'aiguilles contaminées ou d'autres articles associés à l'utilisation de drogues comme les pailles, les pipes, les cuillères et les récipients. »

Des souvenirs encore douloureux, du temps où j'avais vingt ans, défilaient devant moi comme au cinéma. Ils se chevauchaient à un rythme vertigineux, se superposaient, sans jamais disparaître. Une étrange force me contraignait à rester immobile et à revoir des scènes déchirantes, des visages figés dans le temps et des expériences pénibles.

Je devais me secouer, m'efforcer d'annuler mes engagements pour le reste de la semaine. Je me suis mise à échafauder à haute voix un scénario pour justifier cette décision. Puis, après avoir allumé une autre cigarette, j'ai passé trois coups de fil. De peur qu'on m'interrompe ou qu'on me pose des questions, j'ai parlé rapidement, prétextant un problème de voiture. J'étais incapable de penser à une meilleure excuse. Je sentais le sang me monter à la tête. J'ai baissé les yeux et des larmes sont tombées sur ma main.

Second souffle

J'ai détourné le visage de l'écran. Je venais de comprendre ce qu'avait voulu dire la D[re] Vachon. La maladie était permanente, le virus, mortel, et il n'y avait ni médicament pour la guérir ni traitement pour en freiner l'évolution. Je comprenais maintenant toute l'ampleur de la situation !

Et Hélène ? Mon Dieu ! Comment allait-elle réagir ? À cette pensée, j'ai senti tout mon être défaillir. Même si elle savait tout de mon parcours tortueux, je devais trouver les mots justes : « Hélène, j'ai une mauvaise nouvelle à t'apprendre, j'ai l'hépatite C » ; « Hélène, l'hépatite C est en moi » ; « Je suis atteinte d'un virus mortel » ; « Notre vie ne sera jamais plus comment avant. Je suis tellement désolée. Pardonne-moi ! »

* * *

Le jour où nous nous sommes rencontrées, j'ai tout de suite su qu'elle serait mon dernier amour. Pourquoi ai-je eu ce pressentiment et comment m'est-il venu ? Je l'ignore. Pourtant, aujourd'hui encore, c'est ce que je ressens. J'ai toute ma vie attendu une personne comme Hélène. Avant elle, j'avais navigué dans de petites et moyennes relations amoureuses, m'exerçant à aimer d'autres personnes que moi. Avec le temps, je croyais savoir ce qu'était l'amour, mais j'avais tort. Le grand amour, cet éternel donneur de leçons, m'a fait voir mes défauts, mes limites, mes peurs, mes insécurités et mon besoin de tout contrôler. Il a dévoilé mon manque d'indulgence envers moi-même. En somme, il a fait remonter à la surface tout ce que je devais guérir en moi, afin de mieux l'accueillir.

Le 24 décembre 1992, la vie avait tout mis en œuvre pour que nos destins se croisent. C'était une soirée magique. Dehors, les grands froids des jours précédents avaient fait place à une nuit douce et neigeuse. À l'occasion de Noël, nous étions réunis pour un dîner intime chez ma copine Sylvana. À mon arrivée, j'ai tout de suite reconnu Luc et Réjean, deux bons amis qui discutaient avec une inconnue. À la seconde où on m'a présentée à elle, j'ai été frappée par la foudre ! Entre nous, il y a eu comme une décharge électrique, de celles qu'on éprouve une fois dans sa vie. Je me sentais portée par une force indescriptible, un sentiment viscéral, une étrange sensation, comme si mon être connaissait déjà Hélène. J'avais l'impression que chacune de mes cellules contenait déjà une partie de son ADN.

Ce soir-là, chez moi, je n'ai pu dormir. Je voulais absolument revoir Hélène. J'avais la certitude que ma place sur cette terre était auprès d'elle. Le surlendemain, nous nous sommes donné rendez-vous au cinéma. Je ne me souviens même plus du film, cette sortie n'étant qu'un prétexte pour nous revoir. Je n'éprouvais alors plus qu'un seul besoin : être avec elle.

Neuf mois plus tard, je quittais mon appartement du centre-ville et Hélène et moi emménagions ensemble, le plus naturellement du monde, comme si nous avions toujours vécu côte à côte. Nous ne nous disputions jamais, ou alors cela durait quelques minutes, tout au plus. Au commencement, notre amour était naïf, presque timide. Peu à peu, il a pris des forces, et avec le temps il est devenu immense. Hélène est aujourd'hui le seul être au monde qui peut lire dans mes pensées et finir mes phrases sans jamais se tromper. Pourtant, nous sommes si différentes. Elle aime la musique, la nature, les animaux et la gastronomie ; moi, je suis passionnée de yoga, de méditation, de mode, de littérature et de cinéma. J'aime le changement, elle préfère la routine. Je suis enthousiaste et impulsive, elle est plus réfléchie et plus prudente que moi.

Quand on me demande pourquoi je l'aime tant, je réponds que c'est pour son rire enfantin, son obstination à ne pas vouloir ranger ses vêtements, son impatience avec les modes d'emploi, sa voix qui monte d'une octave quand elle parle anglais, son incapacité à apprendre le fonctionnement de la machine à laver, ses efforts constants pour rester calme devant les vendeurs ambulants, son increvable loyauté envers ceux qu'elle aime et son manque de réserve envers ceux qu'elle n'aime pas. J'ajouterai que je l'admire et que je la respecte énormément.

L'inavouable

J'ai regardé l'heure. La journée m'apparaissait interminable. Je ne parvenais pas à penser à autre chose qu'à ce diagnostic. Tout ce qui m'avait été donné me serait-il repris ?

Je me suis étendue sur le canapé du salon. Je n'avais la force de faire rien d'autre. Malgré la chaleur étouffante, j'avais si froid que j'ai dû m'envelopper dans un grand châle. Autour de moi, rien ne bougeait. La vie retenait son souffle et le silence s'imposait lourdement. J'ai fini par m'endormir, et peu après je me suis réveillée en sursaut. J'entendais des bruits de pas qui s'approchaient et, avant même que je puisse me redresser, Hélène se trouvait devant moi.

À cette époque, elle était directrice musicale d'une populaire émission de variétés, *Benezra*. Elle a été la première femme à occuper cette fonction à la télévision québécoise. Elle adorait son métier et y excellait, même si elle devait y consacrer de longues heures. Du canapé, je l'observais pendant qu'elle retirait sa veste. Elle semblait épuisée. J'ai pensé qu'il valait peut-être mieux attendre au lendemain, mais quelques instants plus tard j'ai eu trop peur de manquer de courage. Avant même qu'elle s'assoie, je lui ai tout dit.

D'un seul trait, je lui ai appris que j'avais une maladie chronique et inguérissable, l'hépatite C. J'ai énuméré tous les symptômes à venir, les précautions à prendre et les conséquences à long terme. J'ai parlé, parlé et parlé, jusqu'à être à bout de souffle. Avec cette maladie, lui ai-je dit, ce n'était pas seulement ma vie qui serait bouleversée, mais la sienne aussi. Nous avions des projets de voyages au bord de la mer, il nous fallait y renoncer. Je devais ralentir mon rythme de travail et mes revenus diminueraient. Nous allions devoir faire notre deuil de tant de choses !

Pendant que je parlais, Hélène ne bougeait pas. Je scrutais son visage. Je tentais de déchiffrer ses pensées et je pressentais qu'elle mesurait l'ampleur de la nouvelle. Allais-je la perdre ? Pourrait-elle continuer à m'aimer ? La vie était en suspens. Notre avenir se jouait à cet instant. Tout ce que nous avions construit pouvait basculer ! Et elle ne disait rien.

Les larmes me montaient aux yeux, mais je m'efforçais de les ravaler en pinçant les lèvres. Ma vue était brouillée. C'est alors qu'elle s'est penchée vers moi pour me serrer dans ses bras. « Tu n'es pas seule, je suis là. On va traverser tout ça ensemble ! » À ces mots, j'ai ressenti une vague de soulagement, mais en même temps j'étais déchirée par l'idée de lui imposer cette nouvelle réalité. Notre couple serait-il assez fort pour supporter ces changements ?

Trajectoire interrompue

À cette époque, en 1996, ma vie professionnelle était intense, chargée et dispersée. Pigiste dans le monde de la mode, je devais cumuler les emplois pour survivre. Malgré cela, j'adorais mon métier. Ma passion pour la mode avait commencé vers l'âge de cinq ans, auprès de ma grand-mère Bordeleau. Grâce à elle, j'étais déjà une critique avertie à sept ans. Je savais que le marine est plus élégant que le noir et qu'une étoffe de taffetas fait cric ! crac ! croc !, comme mes céréales Rice Krispies. Je connaissais aussi la différence entre une laine cardée (qui pique) et une laine peignée (douce au toucher).

Plus tard, j'ai appris le nom des fibres synthétiques et des tissus organiques. Sur demande, je pouvais réciter la formule chimique du polyester et le pourcentage d'extensibilité du spandex par rapport à celui d'autres fibres. Après d'innombrables heures passées à étudier et à travailler pour accéder à une position enviable dans la profession, je m'étais bâti une solide réputation.

En bref, ce métier me tenait fort occupée et j'avais peu de temps libre. Chaque semaine je devais rédiger un article beauté, enseigner dans deux collèges de mode, préparer et animer une chronique à la télévision, donner une conférence sur les tendances et organiser des défilés. Pour rester à l'affût des nouveautés, je devais aussi rouler des kilomètres et des kilomètres pour me rendre chez les designers, visiter les boutiques les plus branchées et inspecter les récents arrivages dans les grands magasins. Je passais des heures à feuilleter les magazines spécialisés du monde entier. D'un seul coup d'œil, je pouvais distinguer un pull Gucci d'un Prada, reconnaître de loin une robe d'Alexander McQueen, un tailleur Saint Laurent, une jupe Chanel ou un imper Dior. Par amour du métier, je me faisais aussi un point d'honneur d'assister à toutes les conférences de presse. Que ce fût pour un défilé de mode, le lancement d'un nouveau parfum ou du tout dernier mascara, j'étais là !

Mais la vie venait de donner un violent coup de frein, et mon marathon prenait fin.

Le choc du réel

Le lundi matin où je devais rentrer au travail, je me suis réveillée brusquement en entendant des hurlements. Ces cris, c'étaient les miens ! Je venais de faire un horrible cauchemar dans lequel j'étais prisonnière dans une maison inconnue. Autour de moi, il y avait des dizaines de portes closes. Courant à toute allure, je les ouvrais frénétiquement une à une, cherchant désespérément une sortie et ne trouvant chaque fois qu'un immense vide. Après avoir vérifié toutes les issues, j'ai compris que la maison se trouvait au bord d'un précipice et que la seule manière de m'évader était de me jeter dans le vide ! Paniquée, j'entendais une voix, mi-réelle, mi-rêvée, qui m'incitait à sauter: « C'est ta faute ! C'est ta faute, si tu es malade ! Tu l'as bien méritée, cette maladie ! Saute ! Allez, saute ! »

L'esprit torturé, le corps trempé de sueur, le ventre gonflé d'angoisse et de peur, je me suis tirée du lit avec difficulté. Dehors, un violent coup de tonnerre a retenti et la pluie s'est mise à tambouriner sur le toit. Dans la salle de bains sombre, l'ampoule du plafond jetait un éclairage cruel sur mon visage : teint grisâtre, yeux bouffis, langue pâteuse, traits creusés. La glace me renvoyait l'image d'une femme qui avait vieilli de dix ans en une nuit. Comment cela avait-il pu m'arriver ? La question restait sans réponse. Dehors, l'orage grondait et le vent soufflait fort, tout comme ces questions qui me martelaient la tête.

J'ai alors entendu un bruit de vaisselle dans la cuisine. Hélène préparait le petit déjeuner. Je suis descendue la rejoindre, j'ai pris place au comptoir et allumé une cigarette. Au moment où j'aspirais la première bouffée, elle m'a dit que je fumais trop, que ça ne devait sûrement pas être bon pour mon foie. « C'est le seul plaisir qu'il me reste et ce n'est pas aujourd'hui que je vais m'en priver ! » Et, en fixant la combustion lente du tabac, j'imaginais que c'était ma vie même qui s'envolait en fumée.

Une heure plus tard, au volant de ma voiture, j'étais en route pour le travail quand d'autres pensées m'ont ramenée brusquement dans le passé. Des visages, des gens que j'avais connus quinze ou vingt ans auparavant, des paysages défilaient dans ma tête. Il fallait que je sache où, quand, comment et par la faute de qui j'avais été infectée par ce virus. Plus je m'interrogeais, plus je me perdais en conjectures. Dans ma mémoire, il n'y avait que des bribes de souvenirs et de grands trous noirs.

L'orage avait cessé et le soleil perçait les nuages. En quelques minutes, une chaleur étouffante s'est abattue sur la voiture. Du haut du pont Mercier, je voyais Montréal se profiler au loin. Dans le smog caniculaire du matin, la ville m'apparaissait comme un personnage vague et menaçant. J'ai songé à faire demi-tour. J'aurais voulu rentrer chez moi pour ne plus jamais en ressortir, mais ce n'était pas possible. J'avais déjà accumulé tant de retard... Il y avait tant à faire... Si je voulais reprendre le temps perdu, j'allais devoir mettre les bouchées doubles.

Ce jour-là, j'avais rendez-vous dans un vieil immeuble en plein quartier industriel. Quand je suis sortie de l'auto, l'air suffocant m'a donné la nausée. « Mon Dieu, faites que je tienne le coup ! »

Une fois dans l'ascenseur, je me suis appuyée contre la paroi du fond et j'ai entendu une voix intérieure qui chuchotait : « Je ne suis pas certaine que ce soit une bonne idée d'être venue travailler. » Trop tard ! Les portes venaient de s'ouvrir au dixième étage, en face de la salle de réunion. Une musique disco aux accents métalliques envahissait le corridor. J'ai consulté ma montre ; il n'était que neuf heures dix ! Au moment où j'ai poussé la porte, l'écart entre ce qui sévissait en moi et l'atmosphère de fête qui régnait dans la pièce m'a semblé d'une immensité infinie. Toute cette frénésie me donnait le vertige, mais il fallait que je tienne le coup.

Quatre membres de mon équipe étaient déjà sur place : le maquilleur, le coiffeur, la chef styliste et son assistante. Ils discutaient bruyamment autour d'une large table chargée de fruits, de pâtisseries et de tasses de café. Toutes ces odeurs mêlées me soulevaient le cœur.

Dans le tourbillon des conversations, personne ne semblait avoir remarqué mon entrée et j'en étais soulagée. J'ai penché la tête sur des documents, feignant d'être totalement absorbée dans mon travail. Tout en compulsant nerveusement des papiers, je me demandais avec angoisse si, au fil des mois, les symptômes de l'hépatite deviendraient apparents. Les gens finiraient-ils par voir que j'étais infectée par ce virus ? Il fallut que je prenne sur moi pour ne pas fuir à toutes jambes.

Coordonner cet événement s'était révélé assez complexe. Plus d'une centaine de personnes étaient engagées, de près ou de loin, dans cette soirée-bénéfice, dont des vedettes de la chanson, des personnalités de la télévision, des athlètes olympiques, des top-modèles, des coiffeurs, des maquilleurs, une horde d'étudiants, des dizaines de bénévoles, sans oublier tous les créateurs de mode. C'était un travail colossal et la moindre erreur pouvait entraîner des jours de retard. J'observais toute cette activité en m'efforçant de rester concentrée. Il ne fallait surtout pas que je gaffe, car dans l'univers de la mode le perfectionnisme est inscrit dans nos gènes. Il faut toujours que tout, absolument tout, soit parfait ! Pour y arriver, tout le monde surveille tout le monde !

Tandis que l'essentiel de l'existence pouvait nous échapper, nous consacrions des heures à choisir la teinte d'une robe ou la hauteur des chaussures à talons. Nous pouvions nous perdre dans la contemplation d'un bracelet pavé de strass, sans jamais regarder en nous-mêmes. Cela dit, certains avaient une vie spirituelle dans le privé. Mais entre nous, nous n'abordions jamais ces questions.

Au moment où tout le monde s'affairait à assortir vêtements et accessoires, cinq mannequins, trois femmes et deux hommes, ont fait leur apparition. Les essayages allaient commencer. Durant de longues heures, j'allais devoir refouler mes angoisses au plus profond de moi.

À ma grande surprise, le temps a filé à vive allure ce jour-là. À dix-neuf heures, tout le monde avait quitté les lieux, satisfait du travail accompli. J'étais volontairement restée plus tard, sous prétexte de ranger la pièce. Après avoir retiré mes escarpins, j'ai poussé un soupir de soulagement, me suis assise, et ai posé mes jambes sur une chaise. J'étais épuisée. Soudain, des souvenirs m'ont rattrapée, comme si ma mémoire avait fait des fouilles tout au long de la journée pour récupérer ce qui m'avait échappé. Des plaies que je croyais cicatrisées se rouvraient. Dans le passé, j'avais fait un tas de choses dont je n'étais pas fière et je les revoyais maintenant clairement. J'ai allumé une cigarette et je ne savais plus trop si c'était la fumée ou les larmes qui me brouillaient la vue.

Paranoïa

Après des semaines d'attente, je me suis enfin présentée à mon rendez-vous chez l'hépatologue. Hélène, merveilleuse comme toujours, m'accompagnait, comme elle le ferait pour toutes les visites médicales à venir. Tant de gens doivent affronter seuls la maladie… Moi, je me rendais compte de la chance que j'avais !

Dans la salle d'attente, en face de moi, une jeune femme a attiré mon attention. Son visage me ramenait à celui de Jeanne. Durant un séjour à Washington au début des années 1980, nous étions devenues de bonnes amies et le sommes restées jusqu'à ce que je change de vie. Jeanne était toxicomane depuis l'adolescence. Frêle de nature, elle me bouleversait avec sa maigreur osseuse, les cernes sous ses yeux, sa fragilité émotionnelle, son passé meurtri et sa dépendance à l'héroïne. Quand, par bonheur, elle réussissait à ne pas consommer (cela pouvait durer un jour ou deux), elle adorait cuisiner en écoutant Leonard Cohen. Plus âgée que moi, elle parlait avec éloquence des choses graves de l'existence, comme l'inévitable perte de tout ce qu'on aime et la brièveté de la vie sur terre. À ces moments-là, sa lucidité et sa sagesse pouvaient être impressionnantes. Je ne l'ai jamais jugée, mais lorsqu'elle se piquait il m'était difficile d'être près d'elle. La drogue la transformait en une sorte de pantin : son corps mou comme de la guenille ne supportait plus sa tête qui ballottait sur ses épaules, et ses yeux se révulsaient. Elle bafouillait, et de sa bouche fiévreuse tombaient des mots incompréhensibles. Son souvenir me revenait de temps à autre, mais jamais si intensément que ce jour-là, dans la salle d'attente de l'hépatologue. Cette ressemblance entre Jeanne et cette patiente me troublait. Qu'était devenue mon amie ? Je ne savais pas où elle habitait ni si elle se droguait toujours. Était-elle tombée malade ? Était-elle toujours vivante ? Se sentant dévisagée, la jeune femme a posé sur moi un regard froid. Je me suis détournée pour feuilleter un magazine.

Une heure plus tard, une voix féminine, impatiente, a jailli des haut-parleurs : « Nicole Bordeleau, salle numéro six ! » Me voyant paralysée sur ma chaise, Hélène m'a poussée affectueusement du coude pour m'encourager à me lever. En marchant dans le corridor, j'avais l'impression d'être toute petite, comme lorsque je croyais avoir commis une faute grave. Mais une fois dans le cabinet, le sourire de l'homme au sarrau blanc m'a rassurée.

Quelques minutes plus tard, allongée sur la table, je fixais le plafond pendant que le médecin me palpait le foie. L'examen terminé, il m'a demandé de m'asseoir devant lui. J'avais bel et bien le foie enflammé et il fallait pratiquer une biopsie pour mieux connaître l'ampleur des dommages. En apprenant que l'opération aurait lieu dans cinq semaines, mon ventre s'est contracté de peur.

De retour à la maison, j'étais incapable de parler. Cette visite à l'hôpital avait levé le voile sur une réalité que je n'avais jamais soupçonnée. Dans la salle d'attente, le long cauchemar des hépatiques s'était incarné dans ces gens frêles, ces corps maigres, ces ventres gonflés, ces teints jaunâtres. Moi qui n'avais jamais eu peur de rien, j'avais soudainement peur de tout : peur de perdre Hélène, de me retrouver seule, de tomber gravement malade, de souffrir, de ne plus pouvoir subvenir à mes besoins. Je craignais aussi que l'hépatite se cancérise. La femme équilibrée que j'étais avait cédé sa place à une réelle hypocondriaque !

Progressivement, malgré moi, mon cerveau a adopté une sorte de rituel obsessionnel qui m'obligeait maintenant à scruter mon corps du matin au soir. Dès le réveil, je portais la main au foie, le tâtonnais, le martelais du bout des doigts. Je pressais l'index ici, je l'enfonçais là. J'écartais les côtes et les étirais. Debout devant la glace de la salle de bains, je tentais de localiser précisément mon foie et d'en tracer le contour. Je l'examinais sous toutes ses coutures. Je poussais et soulevais la peau pour observer sa réaction. Je me questionnais sur son état comme un médecin le ferait avec son patient. Avait-il changé ? Était-il plus enflammé que la veille ? Si par malheur je percevais la moindre sensation inhabituelle, j'en déduisais que la maladie progressait et je me précipitais sur Hélène. Je me plaçais de biais, puis de face, pour qu'elle compare mes flancs gauche et droit. « Non, tout est beau ! » disait-elle avec le même sérieux qu'un médecin hautement spécialisé. Ouf ! J'étais soulagée. Quelques minutes plus tard, l'obsession reprenait de plus belle et je recommençais à me palper. Avec le temps, cette névrose s'intensifierait à un point tel que souvent, la nuit, il m'arrivait même de prendre mon pouls, question de m'assurer que j'étais toujours vivante !

Les négociations

Je passais des soirées entières à tenter d'en savoir plus sur ce qui allait m'arriver. Je lisais des articles scientifiques sur l'hépatite C, sans toutefois y comprendre grand-chose. Munie de brochures, je comparais sans cesse mes symptômes à ceux des différents stades de la maladie. Je naviguais sur Internet, visitant des sites destinés aux hépatiques. Sur un forum de discussion, des « victimes » racontaient, dans les moindres détails, comment elles avaient contracté le virus, énumérant leurs symptômes et décrivant la progression de leur maladie. Terrorisée par les récits de ce « calvaire quotidien », je m'arrêtais souvent en plein milieu d'un témoignage, histoire de respirer un peu, puis, quelques secondes plus tard, d'un œil je poursuivais la lecture. Masochiste dans l'âme, je lisais et relisais tous les commentaires, jusqu'à l'épuisement. La tête saturée d'histoires horribles, j'essayais ensuite d'aller dormir, en vain. Je consacrais mes insomnies à l'élaboration d'une stratégie de survie. Puisqu'il n'y avait aucun médicament contre ce virus, je devais trouver une autre issue.

La semaine suivante, comme si la vie m'avait lancé une bouée de sauvetage, j'ai découvert un magazine où l'on établissait une corrélation entre les symptômes de l'hépatite C et l'alimentation. À la lumière de ces recommandations, j'ai constaté que je devais changer radicalement mon régime alimentaire. J'étais végétarienne depuis plus de vingt ans, mais cela ne suffisait plus. Désormais, je devais bannir tout ce que j'aimais, comme le beurre, les croissants, les jus de fruits sucrés, le chocolat au lait et les fromages gras. À ce moment-là, je ne me doutais pas que la liste des deuils à venir ne faisait que commencer !

Le lendemain, j'ai dévalisé un magasin d'aliments naturels et suis revenue à la maison chargée de gros sacs pleins à ras bord d'ingrédients « bénéfiques » pour le foie. J'ai déposé mon butin sur la table de cuisine en annonçant à Hélène que nous allions changer notre alimentation ! Puis je lui ai présenté fièrement mes trouvailles : des graines de toutes les couleurs, des pousses d'herbes de différentes longueurs, des céréales « vivantes », du tofu, du seitan, des légumineuses de toutes sortes, du jus de germes de blé, des légumes verts, trois boîtes de tisanes et des compléments alimentaires. En toute honnêteté, je m'attendais à ce qu'elle rue dans les brancards ! Mais non, elle était partante pour tenter l'expérience et m'a même proposé un coup de main.

« Qu'est-ce que c'est ? » m'a-t-elle demandé en soulevant une petite boîte qui dégageait une drôle d'odeur. Voulant imiter le visage serein de la femme sur l'emballage, je lui ai répondu d'un ton assuré : « Une tisane spéciale pour le foie. » En disant ces mots, j'ai été comme assaillie par l'odeur infecte qui se dégageait de cette boîte qui se trouvait pourtant à un mètre de moi ! Mais je n'allais surtout pas me décourager. J'étais bel et bien décidée à attaquer le virus sur tous les fronts.

Le lendemain matin, il m'a fallu une solide dose de courage pour bouder les effluves du café au profit de la tisane « bienfaisante ». Ouaaaachhhh ! Dès la première gorgée, j'ai recraché violemment l'infâme liquide brunâtre dans l'évier. Ce qu'on appelait « tisane pour le foie » était en fait une infusion de pissenlits finement écrasés comme du bran de scie et aromatisée au patchouli !

Au même moment, Hélène a pénétré dans la cuisine. « Et puis, cette nouvelle tisane ? » J'ai relevé lentement la tête en m'efforçant de sourire comme la femme sur l'emballage. Les lèvres pincées pour ne pas vomir le reste du breuvage devant elle, je lui ai répondu que c'était un peu âcre, mais pas mauvais du tout ! Malheureusement, les sacrifices ne s'arrêteraient pas là. À part l'alimentation, j'aurais un autre deuil à faire. Dorénavant, afin d'éviter le risque de cirrhose, je ne pourrais plus boire d'alcool. Je n'en avais jamais abusé, mais dans mon métier le champagne coulait souvent à flots. De plus, j'aimais bien prendre un verre de vin en mangeant, mais tout cela était terminé. Tolérance zéro !

Ma dernière carte

Dès les premières semaines de mon nouveau régime alimentaire, je m'attendais à aller mieux, mais tous ces efforts ne semblaient pas porter leurs fruits. On aurait même dit que mon corps allait plus mal qu'avant. J'avais froid aux extrémités, mes yeux et ma bouche s'asséchaient et le taux de mes enzymes hépatiques ne diminuait pas. J'étais tellement découragée que je me suis mise à négocier avec le virus comme avec un créancier. J'ai supplié, menacé, ragé, pleuré ; j'ai promis des faveurs. Et si je sabrais dans mes heures de travail ? Alors, je faisais le grand ménage dans mon agenda et refusais tout nouveau projet, mais rien n'y faisait. Et si je jetais mon dévolu sur davantage de compléments alimentaires ? L'après-midi même, je suis allée en acheter d'autres au magasin d'aliments naturels. Et si je me couchais plus tôt ? Ou si je me levais plus tard ? Le soir suivant, j'étais au lit avant dix heures et je faisais la grasse matinée le lendemain. Malgré ces changements, la fatigue persistait. Et si je faisais du sport ? Sitôt dit, j'ai enfilé mes souliers de sport et suis allée jogger autour du pâté de maisons. Ma vie était devenue une incessante négociation et, pire encore, une interminable attente. J'attendais d'aller mieux, j'attendais que mon niveau d'énergie remonte, que les nausées disparaissent, que ma digestion s'améliore, que mon sommeil revienne...

Un matin où des maux de cœur me faisaient frissonner, j'ai compris que je devais abattre ma dernière carte. D'un ton résigné, j'ai annoncé à Hélène : « Il va falloir que j'arrête de fumer. » La cigarette avait toujours fait partie de ma vie, ou presque. Personne n'avait idée à quel point fumer était un geste symbolique pour moi. C'était ma forme de résistance, mon acte de rébellion.

Je devais avoir cinq ou six ans lorsque j'ai « fumé » mes premières cigarettes — des cigarettes Popeye, en bonbon. À longueur de journée je suçotais ces friandises en faisant semblant d'inhaler une fumée fictive. À dix ans, j'ai volé une vraie cigarette dans le paquet de mon père. Je m'en souviens comme si c'était hier. C'étaient des Buckingham sans filtre. Un tabac immonde qui m'avait presque tuée sur le coup, à la première bouffée. Quelques minutes plus tard, je vomissais mon dîner sous la galerie. Ce jour-là, j'ai promis à Jésus que je ne toucherais plus jamais à ce poison de ma vie !

À onze ans, je fumais régulièrement. Avec mon argent de poche, j'achetais des cigarettes à l'unité en jurant au propriétaire du dépanneur qu'elles étaient pour mon cousin. De retour à la maison, je m'enfermais à double tour dans la salle de bains. Je montais sur un petit banc pour ouvrir la fenêtre bien grande, été comme hiver, et devant la glace je fumais et parlais toute seule en imitant Mamie, ma grand-mère Bordeleau.

Mamie fumait comme les actrices de cinéma. Avec ses longues mains d'aristocrate, elle prenait une cigarette, mais pas n'importe laquelle : celle qui se trouvait en plein milieu du paquet. Ensuite, elle en tapait le bout sur le carton avant de la glisser entre ses lèvres. Le moment qui suivait était celui qui me fascinait au plus haut point : Mamie faisait craquer une allumette, attendait que la flamme monte dangereusement, puis elle s'en approchait doucement pour embraser le bout de sa cigarette. Elle aurait pu se brûler les doigts ou les lèvres — mais non ! Elle avait un sens du synchronisme extraordinaire. Puis, au moment de tirer la première bouffée, elle entrouvrait un peu les lèvres et retenait la fumée dans sa bouche un long moment. Ensuite, elle fermait les yeux et laissait sortir la fumée… par le nez et la bouche. Oui, mesdames et messieurs ! Par le nez et la bouche ! J'étais tellement impressionnée !

Mais il existe un point irrévocable de la vie où chaque être humain doit faire face à la vérité. En ce jour d'octobre, la vérité était que j'avais peur d'arrêter de fumer, comme si fumer symbolisait toute ma volonté et que le simple geste d'allumer une cigarette me donnait le coup de pouce nécessaire pour continuer de vivre. Au moment de jeter à la poubelle mon dernier paquet et mon briquet, j'ai eu un pincement au cœur. Par ce geste, je commençais une nouvelle vie, la vie d'après le diagnostic.

Dans les jours qui ont suivi, je ne me reconnaissais plus. J'étais devenue tellement irritable que, plus d'une fois, j'ai dû me retenir à deux mains pour ne pas sortir sur le balcon et hurler aux enfants, aux passants et aux chiens: « Vos gueules ! Arrêtez de jouer, de rire, de japper ! Faites comme moi, bande de caves: arrêtez de vivre ! »

Pour ne pas commettre l'irréparable durant la journée, je devais faire du jogging avant d'aller travailler: c'est la seule chose qui me permettait de me défouler. Puis, le soir, en rentrant, pour m'empêcher d'arrêter au dépanneur, je partais faire de longues marches avec mon chien. Avant de me coucher, je pratiquais des postures de yoga en respirant profondément.

Au bout de quatre ou cinq semaines, je me suis réveillée un matin et je me suis sentie libérée de ma dépendance au tabac ! Quel exploit ! J'étais aussi fière que si j'avais escaladé le mont Everest !

Les jeux sont faits

À mon grand étonnement, je me sentais de mieux en mieux. Mon sommeil s'était amélioré, j'avais plus d'énergie, je digérais nettement mieux et les nausées avaient disparu. Depuis que j'avais cessé de fumer, j'avais aussi pris du poids, autre signe que mon corps était en parfait accord avec ma nouvelle vie. Je m'en réjouissais et cela nourrissait en moi la volonté de continuer la lutte. Je me permettais même de rêver d'une guérison prochaine et complète.

Finalement, lorsque le jour du grand défilé de mode est arrivé, j'étais en pleine forme. Ce matin-là, on annonçait de violents orages et j'ai craint le pire: une salle vide ! Les membres de l'équipe avaient les nerfs en boule. Pour détendre l'atmosphère, un coiffeur a enfilé une des plus belles robes d'un couturier et s'est mis à se dandiner sur la pointe des pieds, virevoltant comme le font les danseuses étoiles de ballet. Nous avons ri à en avoir mal au ventre. Ensuite, en consultant de nouveau la liste des personnalités, des artistes, des athlètes et des vedettes qui participaient à l'événement, j'ai eu un moment de vertige. J'ai dû respirer en profondeur pour ne pas paniquer, et peu à peu l'excitation a pris le dessus sur l'angoisse. Vers quinze heures, le soleil est réapparu comme par miracle et nous a donné l'énergie nécessaire pour terminer les préparatifs. À dix-neuf heures, tout était prêt et la salle était bondée.

Plus tard, à vingt heures dix, les projecteurs se sont allumés et la musique a retenti tel un coup de tonnerre, rythmant les pas du premier mannequin. Vêtue d'une robe de mousseline rouge, la jeune femme ressemblait à une déesse africaine. Pendant ce temps, nous étions tous accrochés comme des chauves-souris derrière le rideau pour épier les réactions du public. Quelques secondes plus tard, comme un beau feu de broussailles, les applaudissements ont éclaté et se sont propagés dans la salle. Le premier tableau était réussi !

D'autres scènes se sont enchaînées et vers la fin du défilé, le moment tant attendu est enfin arrivé : la top-modèle de l'heure est apparue au bout du podium ! Du haut de ses interminables jambes, Ève Salvail semblait défier la gravité. Celle qui défilait pour des griffes aussi prestigieuses que Lagerfeld, Donna Karan, Calvin Klein, Versace et Jean Paul Gaultier monopolisait maintenant toute l'attention. Au son d'un gros tambour africain, la mannequin au crâne tatoué d'un dragon coloré a fait quelques pas, puis s'est arrêtée en plein centre du podium. Sa silhouette est restée immobile, le temps d'immortaliser son image dans la mémoire du public, puis gracieusement elle s'est remise en marche. Le tonnerre d'applaudissements qui a suivi cette scène confirmait que nous avions produit un spectacle de grande qualité. Nous étions tous fous de joie et nous bondissions partout comme des enfants ! L'ivresse de cette soirée est encore fraîche à ma mémoire.

Il était passé minuit lorsque nous avons terminé de ranger la salle. Les membres de l'équipe de production, quelques mannequins et des personnalités du monde du spectacle étaient partis au restaurant. Ils m'avaient invitée, proposition très alléchante, mais j'étais trop fatiguée. J'ai décliné l'invitation et suis rentrée chez moi.

À la maison, Paloma, mon fidèle caniche royal, m'attendait patiemment, comme toujours. Dès que je me suis assise sur le canapé du salon, elle est venue se blottir à mes pieds. Je lui ai caressé la tête en lui chuchotant à l'oreille : « Maintenant que ce projet est terminé, je vais pouvoir me reposer et passer plus de temps avec toi. »

Assise dans le noir, je me savais à la fin d'un autre chapitre de ma vie. Ce défilé de mode serait mon dernier. J'aimais beaucoup mon métier, mais je n'avais plus la force physique pour mener à bien de tels événements. Ce soir-là, en montant l'escalier pour aller me coucher, j'ai pensé que vivre… demande énormément de courage.

Autopsie d'un virus mortel

Allongée sur le dos, je suis dans une salle d'opération. Au fond de la pièce, un infirmier dispose des instruments chirurgicaux sur un plateau. Je suis inquiète et je me sens toute petite, réduite à presque rien, sous le drap d'hôpital. Pour ne pas succomber à la panique, j'amorce une conversation avec l'infirmier. Nous discutons de la météo des derniers jours, de la circulation sur les ponts, des résultats des élections. Puis je le questionne sur les appareils qui m'entourent, sur les procédures, sur son métier, sa famille, sa vie. De peur de me retrouver seule, je parle sans arrêt, jusqu'à l'arrivée de l'hépatologue. Celui-ci se penche sur mon foie et m'informe que l'intervention ne durera que quelques minutes. On fait aussitôt l'anesthésie locale, du côté droit du thorax. Je ne ressens qu'une petite piqûre. Ensuite l'hépatologue pratique la biopsie. Peu après l'intervention, une douleur atroce me traverse l'épaule gauche et m'empêche de bouger. L'infirmier me dit que cette réaction, appelée « douleur transférée », est fréquente après une biopsie du foie. L'organe touché « transfère » sa douleur dans une autre partie du corps. On me prescrit des analgésiques pour les deux prochains jours. Pour le reste, je vais devoir patienter plusieurs semaines avant de connaître les résultats... La vie n'est-elle faite que d'attentes ?

Rien n'est plus comme avant. Le temps qui s'écoule me semble irréel. Ma vie est en suspens. Tout se passe comme si j'attendais la permission de continuer à exister. Durant ce temps, je retiens mon souffle.

Après la biopsie, j'entreprends des exercices de visualisation. J'ai lu que l'efficacité de cette méthode a été prouvée, ce qui me donne bon espoir. Chaque après-midi, allongée sur le dos, j'imagine les cellules de mon foie fortes et courageuses comme les héroïnes de mes livres d'enfance, se battant férocement contre le virus. Et le reste du temps, j'attends...

* * *

Trois mois plus tard, j'étais de retour chez l'hépatologue. Grâce à mes exercices de visualisation, je me sentais nettement plus détendue que lors de ma première visite. J'avais la certitude que les résultats seraient excellents et j'osais même croire que j'étais complètement guérie ! Malheureusement, les nouvelles étaient plutôt mauvaises : la biopsie avait révélé que mon foie portait de nombreuses cicatrices dues aux attaques du virus. Selon l'hépatologue, cette fibrose était la preuve que j'avais été infectée au moins une décennie auparavant, ce qui dépassait les hypothèses de départ.

J'étais atterrée. Le médecin tentait de me rassurer en évoquant les recherches médicales fort prometteuses. D'après lui, on disposerait bientôt d'un médicament contre l'hépatite C. En attendant, il m'invitait à continuer mon régime sain, puisque le style de vie d'un patient influe grandement sur l'évolution de la maladie. « Le patient doit prendre en charge sa propre santé et s'engager dans la guérison, m'a-t-il dit. La maladie complique une vie, mais une vie compliquée n'aide en rien le malade. » En fait, il a été si convaincant qu'au sortir de son bureau j'avais refoulé toutes mes inquiétudes en arrière-plan.

Flotter sans effort

J'ai toujours été persuadée que la vraie vie se situe au-delà des limites que nous imposent les autres. C'est pourquoi j'ai souvent provoqué le destin. Mon appétit insatiable, ma soif de dépassement, mon instinct de survie et ma combativité m'ont souvent bien servie, mais m'ont aussi poussée plus d'une fois au bord du précipice. Un jour, j'ai compris que, dans certaines situations, accepter ses limites et ses faiblesses demande un plus grand courage que de se battre vainement pour tenter de les vaincre.

À vrai dire, j'avais compris cela l'année avant d'apprendre que j'étais malade, lors de nos vacances aux îles Turquoises. J'étais si heureuse de partir pour une destination exotique que, la veille du départ, je n'ai pas fermé l'œil de la nuit. Je passais et repassais en esprit la liste des choses dont j'avais besoin pour ces dix jours de vacances. Je les étalais dans ma tête pour m'assurer que je n'oublierais rien. Notre avion devait partir à huit heures du matin. Pour une insomniaque comme moi, se rendre à l'aéroport à six heures a été une véritable torture.

En fin d'après-midi, après deux escales et des heures d'attente, nous arrivons finalement à destination. Fidèle à la description de la brochure de l'hôtel, notre chambre donne sur la mer, mais la fenêtre est si haute qu'on ne peut profiter de la vue ! Déterminées à ne pas laisser ce détail ruiner nos vacances, nous sortons respirer l'air marin. En marchant au bord de la mer, Hélène me suggère de profiter de ces vacances pour m'initier à une activité nautique. Au seul mot « nautique », mon cœur se met à battre à tout rompre. Comme je n'ai jamais appris à bien nager, j'aime autant l'eau qu'un chat sauvage. Par malheur, quand je suis forcée de me baigner dans la mer, je dois toujours m'assurer que mes orteils touchent le fond. Même dans une piscine, je ne quitte jamais le bord de plus de la longueur d'un bras, et j'avance et recule en pédalant comme un petit chien. Malgré cela, Hélène croit que le moment est venu pour moi de vaincre mon « handicap ».

Le lendemain matin, après le petit déjeuner, je jette un coup d'œil au tableau des activités de la journée, affiché à la réception de l'hôtel. À dix heures, il y a un cours de plongée sous-marine, mais Hélène me suggère d'aller plutôt à celui de neuf heures et demie : Introduction au *snorkeling*. Je ne vois pas la différence, mais je suis son conseil.

Quand je me présente sur les lieux, je constate que nous ne sommes que deux participantes. L'instructeur me tend un sac en filet duquel je sors un long tube de caoutchouc muni d'un bouchon de plastique, des lunettes d'aviateur et des palmes de grenouille. Cet attirail me fiche la trouille, mais, jouant à la brave, j'enfile l'équipement. L'instant d'après, je suis dans l'eau. Précisons que si je gonfle le ventre, je racle le fond sablonneux, mais l'important, c'est que je flotte. Oui, mon Dieu, je flotte ! Pas mal, pour la piètre nageuse que je suis ! J'en suis folle de joie ! Peu après, en rentrant à la chambre, j'ai la prestance d'une médaillée d'or. Hélène sort l'appareil photo pour immortaliser l'événement. Fière comme un paon, je souris à pleines dents : j'ai vaincu ma plus grande peur !

Le lendemain après-midi, Hélène décide de réaliser un vieux rêve et se joint à un groupe pour aller faire de la plongée en haute mer. Gonflée à bloc par mon récent exploit, je décide de la suivre. Étonnée par mon nouvel enthousiasme, Hélène redescend à la réception pour louer un autre équipement de plongée en apnée. Une heure plus tard, je suis assise dans un bateau, l'attirail coincé entre les cuisses, et prise en otage entre les deux membres d'un couple de touristes américains. Voyant le bateau s'éloigner du quai, je sens mon courage se dégonfler.

Quelques minutes plus tard, la tension monte entre mes deux voisins. Le mari, un bon vivant au ventre rond comme un ballon, tente de convaincre sa femme de plonger avec lui. De toute évidence, l'idée de cette escapade n'était pas de madame. Furieuse, elle refuse même de toucher à son sac. Pour désamorcer le conflit, je décide d'encourager la dame en lui faisant part de mon « expérience ». Avec la confiance d'une habituée de la haute mer, je lui dis simplement : « *Oh, dear, don't worry ! Snorkeling is easy. You just have to let yourself float !* » En bon français, cela signifie qu'elle n'a qu'à se laisser flotter ! Et j'ajoute d'autres petits conseils : rester détendue, prendre son temps afin de profiter du moment et, surtout, ouvrir grands les yeux pour admirer le bal des poissons multicolores parmi les coraux (que je n'ai encore jamais vu moi-même). Madame a beau me fusiller du regard, ça ne me dérange pas une miette ! Je suis à deux doigts de lui communiquer d'autres instructions, mais je me retiens. Mieux vaut en rester là ! Pour ma part, j'ai très hâte d'enfiler mon équipement pour aller enfin nager avec les poissons dans les eaux profondes de la mer.

Le bateau s'arrête alors et l'instructeur demande aux passagers de former deux groupes. À sa droite, les plongeurs d'expérience ; à sa gauche, les débutants. Je me glisse dans la rangée de droite, parmi les pros, entre Hélène et l'Américain au ventre proéminent. Soudain, Hélène plonge. Et je plonge aussi. L'instant d'après, je réalise que je me trouve au beau milieu de la mer des Caraïbes et que je ne sais pas nager ! Au secours ! J'ai beau me gonfler le ventre, je n'arrive pas à toucher le sable. Pas possible non plus de poser le pied au fond. Panique totale ! Je recrache le tuba et j'avale un gallon d'eau salée. Je me mets à battre des mains et à tendre les bras, dans l'espoir que quelqu'un me tirera de là, mais personne ne semble me voir. Pourtant, je me noie à côté du bateau ! Je frappe maintenant la surface de la mer à grands coups de poing et je tente en vain de m'agripper à la coque. Je coule ! C'est alors que l'instructeur, furieux, me saisit brusquement par les bretelles de mon maillot pour me hisser à bord. Puis, sans aucune délicatesse, il me laisse choir sur un banc, à côté de ma *dear friend*. Tout l'après-midi, elle et moi restons comme deux épaves à rôtir au soleil, sans nous regarder, sans parler, à attendre le retour des autres. De temps en temps, l'instructeur me lance de furieux regards pour que je me sente encore plus mal...

Trois heures plus tard, rouge comme un homard, je rends mon attirail au préposé de l'hôtel en jurant de ne plus jamais m'aventurer sous l'eau.

J'ai passé le reste de nos vacances allongée sous un parasol, à lire. J'ai tiré de mon expérience une leçon que je n'oublierai jamais : l'orgueil précède toujours la chute !

Une « mauvaise » maladie

Quand l'hépatologue a établi le diagnostic, les chercheurs connaissaient encore bien peu de choses sur le virus de l'hépatite C, identifié vers la fin des années 1980. Comme les personnes infectées pouvaient être asymptomatiques durant de nombreuses années, les cas rapportés étaient encore rares, mais il y avait déjà tant d'histoires d'horreur au sujet de cette maladie que les gens en avaient très peur. On reliait d'emblée cette affection à un style de vie « malsain ». On l'appelait « la maladie des toxicomanes et des prostitué(e)s ».

Le choc d'apprendre que j'étais atteinte d'une maladie chronique était pénible, mais le fait de me savoir stigmatisée par la société me rendait l'hépatite C encore plus accablante. J'ai réalisé qu'il y avait dans notre inconscient collectif une hiérarchie des maladies, une sorte d'échelle des valeurs, et que l'hépatite C, ainsi que les M.T.S. et le sida, se retrouvait au bas de cette échelle. J'ai remarqué qu'une personne atteinte d'un cancer ou d'une maladie dégénérative avait souvent droit à beaucoup plus de compassion qu'une personne qui souffre d'une « mauvaise maladie ». Devant les « maladies honteuses », les gens changent habituellement d'attitude, hésitent à vous toucher, s'éloignent un peu de vous lorsqu'ils vous parlent. La personne atteinte d'une « mauvaise maladie », de sinistre réputation, s'attire au mieux de la pitié, au pire du mépris.

Il faut dire que, à l'époque, circulaient des quantités effarantes d'informations erronées. On disait, par exemple, que le virus était transmissible par la salive ou, pire, par une simple poignée de main. Or, tout cela est faux. On ne trouve aucune trace du virus dans la salive, le sperme, les sécrétions vaginales ou séminales. Le virus de l'hépatite C se transmet principalement par voie sanguine. La transmission sexuelle est possible, bien sûr, mais reste exceptionnelle. Il doit y avoir impérativement un contact sanguin, dans des cas de lésions génitales ou pendant les règles, par exemple. Bien entendu, il faut éviter l'échange d'objets pouvant avoir été en contact avec le sang d'une personne infectée par le virus : la brosse à dents si les gencives du malade ont tendance à saigner, le rasoir, les ciseaux à ongles, le matériel d'épilation, etc. Mais en aucun cas on ne doit s'empêcher de serrer la main ou d'embrasser une personne hépatique, sinon on la condamne encore plus sévèrement que ne le fait la maladie.

À cette époque, devant une telle montagne de préjugés, je me sentais si démunie que j'ai décidé de garder le silence et de taire ma condition. Mis à part Hélène et quelques proches, personne n'était au courant de ma situation. J'avais honte de ce corps qui m'avait trahie. Honte de sa faiblesse et de sa vulnérabilité, honte qu'il fût malade et mortel ! Chaque fois que je ne me sentais pas bien et que je devais m'absenter du travail ou annuler une sortie, j'inventais des excuses. Je ne savais pas encore que le poids de ce secret me conduirait à la dérive.

Perdre ma place

Six mois après la biopsie, de nouvelles analyses sanguines indiquaient que le virus était plus fort que jamais auparavant. Et c'est alors qu'un nouveau symptôme est apparu. Je ressentais maintenant une douleur que ni l'acupuncture, ni les herbes anti-inflammatoires, ni les massages, ni mon régime alimentaire n'arrivaient à atténuer. Une sorte de lourdeur ankylosante s'était installée dans mes articulations, principalement dans les chevilles et les coudes. Ces douleurs étaient si désagréables que j'avais l'impression d'être grugée de l'intérieur. Les rhumatologues n'arrivaient pas à établir un diagnostic précis. Ces inflammations, qui semblaient venues de nulle part, paralysaient mes mouvements deux ou trois jours durant, puis disparaissaient. Lorsqu'une crise survenait, en moins d'une heure mes pieds devenaient si enflammés que ma vie s'arrêtait. Je ne pouvais ni marcher, ni écrire, ni dormir. Pour descendre de la chambre au salon, je devais me laisser glisser sur les fesses dans l'escalier, une marche à la fois, en soutenant mes chevilles pour ne pas hurler de douleur. Tout cela m'était de plus en plus difficile à supporter.

Un jour où je n'allais vraiment pas bien, on m'a proposé de produire un événement mode très prestigieux. Dans mon for intérieur, j'avais toujours espéré ce contrat, et voilà qu'il arrivait au moment même où je devais diminuer mes activités professionnelles. J'ai dû décliner la proposition, prétextant que je voulais me concentrer sur mes chroniques télévisées. Le lendemain matin, j'apprenais par téléphone qu'on avait déjà trouvé une remplaçante. Je connaissais bien cette personne et elle avait toutes les compétences nécessaires pour mener le projet à terme. Néanmoins, je ressentais un immense chagrin. J'avais dû travailler si fort, et maintenant que j'étais sur le point d'atteindre tous mes objectifs, je devais céder la place à quelqu'un d'autre. Il me semblait si cruel de devoir abandonner la partie à ce moment de ma carrière ! Je voyais cela comme une punition de la vie.

Voilà que j'étais plongée à nouveau en plein cœur d'une vieille peur viscérale, enracinée dans mon enfance : la peur de perdre ma place ! Je retombais dans de vieux schémas névrotiques ; je m'isolais et refusais catégoriquement de parler de tout ce qui touchait, de près ou de loin, à ma santé. Quand Hélène s'inquiétait de ce qui se produirait si les cicatrices sur mon foie se multipliaient, je faisais la sourde oreille. Chaque fois qu'elle abordait le sujet, je me renfermais sur moi-même, comme quand j'étais une petite fille.

Je passais de longues heures à faire des recherches en médecine holistique pour trouver un traitement alternatif.

Puisque l'hépatite C était encore peu connue, je me perdais dans un univers des plus confus, rempli de contradictions. L'efficacité prétendue de la plupart des thérapies proposées n'avait pas été prouvée scientifiquement. Sur les sites que je visitais, je lisais des témoignages obscurs de gens « miraculeusement » guéris, mais cela restait impossible à vérifier. Je savais bien que je devais être prudente, mais émotionnellement j'étais prête à gober n'importe quelle imbécillité pour me libérer de ce maudit virus. Au cours des mois suivants, en dépit du bon sens, j'allais gaspiller mon temps et mon argent pour acheter à gros prix des produits vitaminés, des poudres protéinées, des suppléments de repas, et même des fioles de liquide brunâtre provenant de thymus de porcs, à conserver au congélateur jusqu'à l'utilisation. J'étais si désespérée que ma quête d'un traitement en était devenue tyrannique !

* * *

« Pourquoi pensez-vous que vous vous êtes donné l'hépatite C ? » m'a demandé l'homme sur un ton moralisateur. J'avais déniché l'adresse de ce « guérisseur holistique » dans un magazine offert gratuitement au magasin d'aliments naturels, et j'en avais déduit qu'il était compétent. Maintenant que je me trouvais devant lui, j'en étais moins certaine. Estomaquée d'apprendre qu'il croyait que je m'étais « donné » le virus, j'ai dû subir un long discours sur le pourquoi des maladies. À la fin de son monologue, il a fermé les yeux et il m'a dit qu'il venait de recevoir un message télépathique de mon « corps guide ». Je soupçonnais que ce « corps guide » voulait que je suive les conseils de ce guérisseur... Eh bien, je ne me trompais pas ! Mon fameux « corps guide » venait justement de dire à mon « guérisseur » que seul son remède aurait raison du virus ! Malgré ma colère, je suis restée polie. J'ai expliqué que je n'étais venue que pour une consultation et qu'avant d'entreprendre un long traitement, je souhaitais considérer d'autres options. « Certainement, m'a-t-il répondu, mais sachez que si vous suivez un autre traitement que le mien, vos chances de guérison seront beaucoup plus faibles ! »

L'incrédulité devait se lire sur mon visage, car il a osé ajouter : « Bien entendu, vous faites cela seulement si vous souhaitez guérir. » C'était la goutte qui faisait déborder le vase ! Cet homme qui, quelques minutes auparavant, me rendait responsable de m'être infligé l'hépatite C affirmait maintenant qu'il était le seul à pouvoir m'en guérir. Du coup, il me déresponsabilisait complètement vis-à-vis de ma santé. Bien à contrecœur, j'ai payé ce « guérisseur » pour cette « consultation », en me promettant d'effacer son adresse de ma mémoire. La pilule était amère et difficile à avaler, car cette visite s'ajoutait à la longue liste des traitements qui avaient échoué.

Face à la maladie, nos questions sont toujours plus nombreuses que les réponses. Dans notre quête de guérison, il faut être prudent, car il y a tant de charlatans à l'affût qu'on peut être aveuglé par leurs théories simplistes. On risque ainsi de les suivre dans une mauvaise direction.

Je ne cherche pas ici à me déresponsabiliser ni à me justifier. J'ai une part de responsabilité dans le déclenchement de la maladie et il est fort probable que mes pensées et mes émotions m'aient prédisposée au virus. Cela dit, je serais présomptueuse de croire que j'ai la pleine maîtrise de mon destin.

De nombreux facteurs influencent la maladie. L'être humain est multidimensionnel et son corps est façonné par ses habitudes de vie et par son état psychologique, mais il l'est tout autant par une foule d'autres éléments incontrôlables, par exemple le bagage génétique, certaines contingences sociales comme le lieu de notre naissance, les toxines et les produits chimiques dans l'environnement. Aujourd'hui, la science confirme que ces facteurs non négligeables contribuent grandement à l'apparition des maladies.

Épictète avait raison de dire : « La sagesse consiste à savoir distinguer entre ces choses qui dépendent de moi, celles qui ne dépendent absolument pas de moi, et, entre les deux, celles qui dépendent un peu de moi. »

La rupture

De toute évidence, le jugement de ce guérisseur holistique m'avait ébranlée car, depuis, je tournais en rond de manière obsessionnelle. J'avais beau savoir que je n'étais pas tombée malade volontairement, j'étais tout de même entrée dans un cercle vicieux de souffrance émotionnelle. Cette éternelle quête pour comprendre le pourquoi et le comment me torturait. Étais-je coupable ou non ? Avais-je été trop indisciplinée ? Trop permissive envers moi-même ? Était-ce une forme d'intervention divine ? Pour quelle raison les symptômes ne disparaissaient-ils pas ? J'avais changé mon style de vie, ralenti mon rythme, modifié mon alimentation, je ne buvais jamais d'alcool, ne fumais plus, faisais de l'exercice quotidiennement, je visualisais, j'apprenais à relaxer, alors quoi ? Je tentais désespérément de découvrir mon « rôle » dans la maladie. Qu'est-ce qui freinait la guérison ? Je m'enlisais dans toutes sortes de théories.

Restait-il en moi un résidu d'autodestruction ? Qu'est-ce que mon corps exprimait en « maux » que je n'arrivais pas à dire en mots ? Par moments, je me sentais responsable, mais parfois non. Toutes ces questions étaient-elles une façon détournée de ne pas assumer ma réalité ? Je repassais en mémoire les différentes parties de mon histoire, je revoyais mes actions, revivais mentalement des bribes de ma vie, m'arrêtant sur certaines images restées intactes pour scruter mes gestes de plus près. Parfois, des situations non réglées, des sentiments irrésolus de colère, de culpabilité, de chagrin et d'angoisse remontaient à la surface, mais je n'avais pas la force de les affronter. Pour les éviter, je fermais la porte. La minute suivante, je m'en voulais d'être si faible ! Après m'être torturée ainsi plusieurs jours d'affilée, j'étais vidée. Et le désir de me battre pour la guérison était de plus en plus chancelant. Le doute m'assaillait, ouvrant une brèche en moi qui réanimait la voix qui disait : « C'est ta faute ! »

Peu à peu, je délaissais mes activités préférées; une pile de livres amassait tranquillement la poussière, confirmant que j'avais abandonné ma passion première, la lecture. Près de la porte d'entrée, mes espadrilles sans traces de boue étaient la preuve que je ne faisais plus de jogging, préférant errer dans la maison comme une âme en peine. Un jour, me sentant sombrer, Hélène m'a proposé de recevoir des amis à la maison en disant : « Ça te changera les idées. » J'ai accepté, mais j'allais le regretter.

Nos invités étaient arrivés vers dix-huit heures, les bras débordants de fleurs et de bonnes bouteilles. À table, ils dévoraient leur repas avec appétit, levaient leur verre, discutaient et riaient à propos de tout et de rien. Enfermée en moi-même, je tentais de comprimer le vide qui sévissait à l'intérieur. J'écoutais distraitement la conversation. « Qu'est-ce que vous comptez faire pour vos vacances ? Avez-vous repeint le salon ? Il semble plus clair… »

De peur que je ne m'isole davantage, Hélène me laissait le soin de répondre aux questions. Je restais vague, articulant un mot ou deux. Je n'avais pas le cœur à discuter ni à faire la fête. Comment parler de la teinte d'un mur, alors que je sentais mon âme se fissurer ? Cette soirée m'a paru interminable. Un immense fossé semblait s'être creusé entre ma réalité et celle des autres. Je contemplais la scène de loin. Jamais le temps n'avait été si lent. Il ne passait plus.

Plus tard, dans mon lit, au lieu de dormir, j'ai passé une partie de la nuit à fixer le plafond. De toute ma vie, jamais je n'avais pensé à capituler devant les coups durs. J'étais souvent tombée, mais j'avais toujours eu le courage de me relever pour poursuivre ma route, sans relâche, malgré les obstacles et les épreuves. Mais j'étais devenue une naufragée en plein milieu d'un océan déchaîné, tentant de m'agripper à un radeau qui coulait. J'étais perdue, prête à mourir, car trop épuisée pour continuer à me battre. Je me suis endormie sur ces pensées, espérant ne jamais me réveiller.

Dans les semaines suivantes, mon humeur a continué de s'assombrir. Le courage, la résilience et la détermination m'abandonnaient tour à tour. En apparence, j'arrivais tout de même à fonctionner et à assumer mes responsabilités, mais cela me coûtait de plus en plus. Si, de l'extérieur, tout semblait bien aller, à l'intérieur de moi tout se dégradait. Désormais, je ne faisais plus la différence entre une bonne et une mauvaise journée. À mesure que le temps passait, je perdais confiance en moi. J'existais toujours, mais dans un état comateux. Emprisonnée dans un immobilisme qui anesthésiait tout ce que je vivais. Je n'étais tout simplement plus la même.

Sans les exigences du quotidien, les week-ends ou les jours de congé, je me retrouvais sans désir, sans préférence, sans attente et sans regret. Je ne ressentais rien. Rien, sauf le vide. C'est sans doute cela, être « mort-vivant ». On conserve ses sens, mais on perd toute émotion qui nous relie aux autres. J'aurais tant aimé en parler, mais la « voix » m'avait convaincue que je n'étais qu'une égoïste, que mon entourage en avait fait suffisamment pour moi et que j'étais la seule responsable de ce qui m'arrivait ! C'est à ce moment-là que j'ai perdu pied.

La dérive

Je suis sous la douche, mais je ne ressens rien : ni le corps que j'habite, ni les carreaux de céramique sous mes pieds, ni l'eau chaude qui gicle sur ma peau, ni le savon que je tiens. Je respire à coups minuscules. Mon cœur bat lentement. Mon univers se vide. Il fuit au même rythme que l'eau qui file dans le renvoi. Je ne sens ni peur, ni douleur, ni joie, ni chagrin. La santé, la maladie, la vie, la mort, tout m'est égal. Lentement, je suis aspirée vers un trou noir de souffrance. Je fixe maintenant l'eau qui disparaît entre les fentes de métal à mes pieds. Et si je faisais comme elle ? Je n'aurais qu'à me laisser glisser vers le fond, lentement, très lentement. Je m'accroupis contre une paroi du cabinet de douche, dans une position fœtale. La peur coule dans mes veines. C'est maintenant ou jamais. Maintenant. Je coupe mon souffle. Tout devient noir. J'atteins le fond. Je pénètre dans un silence engourdissant où tout m'est étranger, y compris moi-même. Un silence vide, oppressant. Il me vient alors une pensée, une dernière : vivre ou mourir ne fait aucune différence… Dans ce moment de pur désespoir, la douleur m'incite à envisager le pire et je suis sur le point de tout abandonner. Mais, à cet instant, quelque chose de plus fort que moi, entièrement indépendant de ma volonté, prend le dessus. Puis, dans un moment de grâce, unique et sublime, un tourbillon, ou plutôt une présence indéfinissable, m'aspire vers le haut. Et j'entends, ou plutôt je ressens, une voix murmurer : « Fais confiance. » Je me surprends à l'écouter. Une vibration pure et dynamique envahit tout mon corps. À cet instant, je reçois un choc qui me force à m'agripper aux parois. Je m'y accroche si fort que mon cœur obéit à l'ordre de se remettre à battre. Le sang circule de nouveau à vive allure dans mes veines. Dans ma tête, mes pensées ont repris leur course folle. Je suis de retour dans mon corps et je sais que je n'oublierai jamais cet état de grâce. Et puis, vient la joie. Une joie profonde et immense. Savoir que je ne suis pas seule : une pure présence est là, avec moi, ou en moi. Une présence ineffable, inconnue et familière, qui m'enveloppe de chaleur. Les diverses parties de mon être s'unissent et un bien-être m'imprègne et me pénètre de toutes parts. Et il me vient alors un pressentiment, une intuition, une sorte de prémonition.

Je sais que le temps est venu pour moi de faire face à ma plus grande peur. Depuis des années, j'ai mille et une raisons de ne pas vouloir revenir sur mon passé. J'ai laissé derrière moi un navire en flammes et j'ai peur d'y retourner.

Mais voilà que cette expérience dans la douche m'a laissé en cadeau une force incroyable. Je puiserai en elle le courage nécessaire pour faire la paix avec le passé. Je sais maintenant qu'il ne faut plus attendre de guérir pour vivre. Vivre, c'est guérir !

Mosaïque du passé

Portrait de famille

Peuplée de forêts abondantes, d'espaces vertigineux, de chemins de gravier, de mines rocheuses et de grands lacs, l'Abitibi de mon enfance est une région belle et laide, sauvage et chaleureuse à la fois. C'est dans ce coin de pays qu'a commencé la saga des Bordeleau, avec Irène Caron. On ne saura jamais si elle a connu le grand amour, car de son passé on ne sait pas grand-chose. Inventant sa vie au fur et à mesure qu'elle la vivait.

Irène avait épousé un homme doux et résigné qui lui était entièrement dévoué. Glorien Bordeleau, homme de peu d'éducation, était voyageur de commerce. Il partait des semaines entières pour arpenter les routes poussiéreuses de l'Abitibi, vendant toutes sortes de choses : des stylos à bille aux calendriers, en passant par des mocassins indiens, sans oublier des chaussettes tricotées de grosse laine cardée. Lorsqu'il ne travaillait pas, son univers se résumait à trois passions : Irène Caron ; pêcher la truite ; boire du gin Tanqueray. Le samedi matin, il partait avec entrain, avant le lever du soleil, avec sa canne à pêche. Il n'était jamais si heureux que lorsqu'il attrapait un poisson, et la grosseur de sa prise lui importait peu. De retour à la maison, il se vantait de ses exploits en enfilant les verres de gin, comme s'il avait réussi à dépeupler la rivière à lui seul. Après avoir trop bu, il devenait doux comme un agneau et surnommait sa femme « mon Irène de soie ».

D'une nature diamétralement opposée à celle de son mari, Irène était une femme fière, orgueilleuse et indépendante d'esprit. À l'occasion, elle pouvait aussi se montrer entêtée et opiniâtre. D'instinct, elle aimait la beauté et détestait la laideur. Elle ne ressemblait nullement aux femmes de sa génération et n'avait rien de la grand-maman de nos contes pour enfants — ni les rondeurs, ni les cheveux blancs, ni le petit chignon tiré vers l'arrière, ni le tablier, ni la robe à fleurs. Au quotidien, elle préférait le pantalon effilé, le pull de fin lainage en V, le rouge à lèvres. Et elle fumait la cigarette.

Irène habitait une modeste maison en Abitibi, mais dans son imaginaire elle vivait dans un monde de luxe. Dès le début de leur union, alors qu'ils faisaient chambre à part, Glorien descendait l'escalier tous les matins sur la pointe des pieds pour préparer un café à sa femme. Il allait le lui servir au lit, dans une tasse de porcelaine fine. (Irène avait tant de belles tasses qu'on aurait pu boire du café durant toute une semaine sans avoir à les laver.) Adossée contre ses oreillers de plumes, elle sirotait son café à petites gorgées, comme une dame chic et snob.

Chaque matin, après ce café rituel, Irène poudrait délicatement ses joues et appliquait avec grand soin son rouge à lèvres préféré, couleur vermillon, signé René Garraud de Paris. Elle y resterait fidèle toute sa vie. Pour finir, elle glissait quelques gouttes de parfum derrière ses oreilles et à la base de la nuque. Lorsqu'on la complimentait sur son merveilleux parfum, elle disait fièrement : « C'est un parfum chic ! »

Irène et Glorien ont eu cinq enfants, dont trois sont morts à la naissance. Robert et Jacques, les deux survivants, seraient si précieux à leurs yeux qu'ils les élèveraient dans la ouate. Désireuse de voir ses fils poursuivre des études collégiales, Irène deviendrait financièrement indépendante de son mari. Il n'était pas question d'attendre que Glorien cesse de boire ou qu'il fasse fortune. C'est ainsi qu'elle s'est inventé des professions, devenant tour à tour chapelière, coiffeuse et couturière. Même si elle ignorait les règles du monde des affaires, elle avait assez d'audace pour bousculer la vie, la sienne et celle des autres. Alors que son mari sillonnait l'Abitibi pour vendre ses crayons, Irène apprenait par elle-même à mouler des chapeaux qui bientôt rivaliseraient avec ceux des grands magasins. Elle s'était aussi découvert un talent pour créer des vêtements aussi beaux que ceux des magazines de mode. En un rien de temps, elle fit des affaires d'or !

Au village, on disait qu'elle avait des doigts de fée, mais aussi qu'elle était têtue comme une mule. Par exemple, si elle avait décidé qu'une femme avait avantage à porter du marine plutôt que du noir, elle insistait. Si la cliente hésitait, Irène sortait son magazine fétiche, *Mode de Paris*, et montrait du doigt les dernières tendances parisiennes avec la même autorité que Chanel ou Dior. Et dire qu'on était à La Sarre, en Abitibi ! Le monde imaginaire de ma grand-mère était mille fois plus beau que la réalité !

Irène avait une vie confortable, mais un jour elle s'est rendu compte que Robert, son fils aîné, un jeune homme brillant et prometteur, avait un penchant pour la bouteille. Ayant accepté à contrecœur l'alcoolisme de son mari, elle s'est empressée d'intervenir en inscrivant son fils au prestigieux collège Saint-Laurent de Montréal. Dans son for intérieur, elle croyait s'assurer ainsi de son encadrement et de sa bonne éducation. En fait, ses espoirs étaient plus précis encore : elle souhaitait marier Robert à une jeune femme de la haute société. Pour elle, cette union serait la voie rêvée pour accéder enfin à cet univers de distinction auquel elle aspirait depuis toujours. Mais les choses ne se sont pas tout à fait passées comme elle l'espérait.

Au collège, Robert, qui plaisait beaucoup aux femmes, n'était nullement pressé de réaliser les ambitions de sa mère. Il préférait faire la fête, fréquenter des gens cultivés, et il s'est découvert une passion pour la musique classique, l'opéra et le ballet. Lorsqu'il s'est joint à une troupe de théâtre, Robert a vécu les plus beaux moments de sa jeunesse. Le monde artistique le passionnait et il envisageait de poursuivre ses études dans cette direction. Toutefois, une rencontre chamboulerait sa vie.

* * *

Gertrude Savard avait grandi au fond d'un rang de campagne, en Abitibi. Dernière-née d'une famille nombreuse, elle a longtemps été protégée par la tendresse d'un père cultivateur et par la chaleur nourricière d'une mère âgée. Puisque ses parents ne pouvaient rien lui refuser, Gertrude a obtenu très jeune la permission d'abandonner l'école pour s'engager comme serveuse au restaurant de l'hôtel Victoria à La Sarre. Sur les photos de l'époque, la jeune femme affiche un visage plus sérieux que les autres filles de son âge. Avait-elle eu la prémonition de son destin ?

Un soir où elle faisait le service aux tables, elle a fait la connaissance de Robert Bordeleau qui se faisait maintenant appeler « Bob ». Lui et sa joyeuse bande d'amis étaient des habitués du restaurant ; ils y venaient souvent à la sortie des bars. Robert avait terminé ses études à Montréal et était de retour en Abitibi, où il menait encore une vie de bohème grâce à l'argent de sa mère. Pendant que cette jolie serveuse notait sa commande, Bob s'est rendu compte qu'elle lui plaisait. Il aimait la douceur de son regard, le timbre de sa voix et ce petit côté réservé qu'il n'avait encore jamais rencontré chez les jeunes filles qu'il fréquentait. Résolu à la séduire, il l'a invitée au cinéma. Gênée devant un tel aplomb, Gertrude s'est éloignée de la table en refusant poliment l'invitation.

Le lendemain, plus déterminé que jamais, Robert est revenu seul au restaurant. Pendant que Gertrude lui versait du café, il a engagé la conversation, parlant de tout et de rien pour la retenir auprès de lui le plus longtemps possible. Le regard charmant du jeune homme hypnotisait la jeune femme. Ce soir-là, en rentrant à la maison, elle ne pensait plus qu'à lui.

La semaine suivante, elle l'a accompagné dans un autre restaurant, puis au cinéma, et quelques jours après elle s'est retrouvée seule avec lui. Ce soir-là, Robert lui a parlé de Debussy, Vivaldi, Bach, et de quelques autres compositeurs. C'était très troublant. Gertrude était d'autant plus bouleversée qu'elle n'avait jamais rencontré quelqu'un d'aussi éduqué, cultivé et intéressant. Assise sur le canapé, elle souriait en l'écoutant avec émerveillement. Quand il lui a caressé doucement la joue, elle lui a avoué n'avoir jamais embrassé un homme. Cette révélation la rendait encore plus séduisante à ses yeux. Pour la rassurer, il lui a caressé délicatement la main. Le silence régnait dans la pièce et la main de Robert glissait lentement, touchait la soie des bas de

Gertrude. Elle allait détourner le regard lorsqu'il l'a prise dans ses bras pour l'embrasser avec fougue.

Le lendemain matin, en rentrant chez elle, Gertrude avait l'estomac noué. Elle était allée trop loin, elle le savait. C'était un soir, un seul soir, mais un soir de trop !

Quelques semaines plus tard, alors qu'elle travaillait au restaurant, Gertrude a été prise de nausées. Elle tentait de se convaincre qu'elle avait simplement besoin de repos, mais ces malaises ont persisté. Au bout de trois mois sans avoir eu ses règles, elle a dû se rendre à l'évidence. Elle n'avait couché qu'avec un seul homme de toute sa vie, et une seule fois, mais elle portait bel et bien l'enfant de Robert Bordeleau.

Pendant ce temps, Robert menait toujours sa vie de célibataire, sans attaches ni responsabilités, entretenant d'autres relations amoureuses qu'il jugeait plus prometteuses. Puis, le jour où Gertrude lui a annoncé qu'elle était enceinte de lui, il lui a suggéré de quitter l'Abitibi sans tarder, de manière à préserver leur réputation et celle de leurs parents respectifs. Naturellement, il lui a demandé de garder tout cela secret.

Déchirée, désorientée et sans ressources, Gertrude a bouclé ses valises pour aller se réfugier chez une vieille tante à Montréal. Sans instruction et sans argent, elle a pris un travail de femme de chambre. Le jour, elle dissimulait sa grossesse en portant des vêtements amples et le soir, dans sa chambre, pour se rassurer, elle caressait son ventre nu et chantait des berceuses à son enfant à naître. Espérant de tout cœur que Robert viendrait la rejoindre, elle s'endormait en rêvant de lui.

Sauver les apparences

À Montréal dans les années 1950, beaucoup de jeunes filles célibataires allaient accoucher en secret à l'hôpital de la Miséricorde. Par la suite, les autorités prenaient soin des enfants, jusqu'à ce qu'on leur trouve des familles adoptives.

Nous sommes à la fin de septembre 1956. Par une journée grise et froide, Gertrude est surprise par des douleurs inhabituelles. Quelques heures plus tard, elle est admise à l'hôpital de la Miséricorde avec sa petite valise. La religieuse qui l'accueille lui parle d'un ton teinté de mépris. À l'époque, c'est ainsi qu'on traitait les « filles-mères ». Elles accouchaient seules et n'avaient aucun droit. La tête basse et le dos courbé par la culpabilité, Gertrude est conduite à sa chambre et s'allonge sur le lit qu'on lui a assigné. Un crucifix est suspendu au mur. Elle pleure dans son oreiller pour étouffer sa honte. Elles sont quatre filles dans cette chambre. Une religieuse les surveille en permanence.

Cette nuit-là, elle rêve une fois de plus de Robert, puis, à son réveil, tout va très vite. Assaillie par des contractions de plus en plus fortes, elle part pour la salle d'accouchement, où elle donne naissance à un garçon. Il a les yeux et les cheveux noirs de son père. Gertrude le trouve si beau ! Elle le serre contre elle en se disant qu'il s'appellera Michel Bordeleau. Convaincue qu'elle épousera Robert à son retour en Abitibi, elle rêve déjà de leur vie de famille. Mais tout à coup une religieuse vient chercher son fils qui ne lui appartient déjà plus. Il est désormais un enfant de la crèche. Gertrude veut le retenir, elle pleure, elle supplie, mais on le lui arrache des bras.

Le 28 septembre, le jour même de l'accouchement, on lui présente les documents pour l'adoption. Sans les lire, elle signe. On l'appelle « madame », sur un ton de politesse forcée. Quand elle quitte l'hôpital le lendemain, Gertrude abandonne deux choses derrière elle : son fils et son âme.

Pendant ce temps, Robert n'arrive toujours pas à choisir entre sa vie de célibataire et ses nouvelles responsabilités. Même s'il aime Gertrude, il ne se sent pas prêt à endosser le rôle de mari et de père de famille. Mais le destin décide pour lui. Sur l'échiquier de la vie, cette naissance met Robert échec et mat.

Quelques jours plus tard, il demande à Raoul Savard la main de la plus jeune de ses filles. Pour Irène, cette nouvelle a l'effet d'une bombe. « Il aurait pu faire tellement mieux ! » dit-elle inlassablement à qui veut l'entendre. Gertrude Savard et Robert Bordeleau se marient à l'église de La Sarre le 29 décembre 1956. Sur la photo officielle, la mariée est magnifique, sa fine silhouette mise en valeur par une superbe robe de ton gris-bleu qui couvre à peine ses genoux. Avec la pureté d'une madone, elle regarde timidement la caméra. Robert la tient par la taille. Irène, placée à la droite de son fils, porte fièrement son étole de vison et de longs gants noirs. Visiblement, elle s'efforce de sourire pour le photographe. Glorien, quant à lui, a dû bouger au moment du déclic, car il a les yeux fermés.

Les jeunes mariés partent en voyage de noces à New York. Une semaine plus tard, de retour en Abitibi, la vie à deux commence. Robert trouve rapidement un emploi comme opérateur de télégraphe pour une grande compagnie ferroviaire, le Canadien National, dans la réserve indienne de Sanmaur. Pour sauver les apparences auprès de son employeur, il est hors de question qu'il se présente dans ce petit village avec un enfant dans les bras, preuve vivante d'une relation illicite. Puisque Gertrude et Robert ne sont officiellement mariés que depuis quelques jours, Michel doit rester à la crèche. En apprenant cette nouvelle, Gertrude croit mourir de chagrin, mais Robert lui fait promettre de ne plus en parler: « C'est du passé, maintenant. Il te faut l'oublier et aller de l'avant. »

Quelques semaines plus tard, Gertrude apprend qu'elle est de nouveau enceinte. Tout au long de cette grossesse, elle aura l'impression de porter deux enfants: l'un dans son ventre, l'autre dans son cœur. Chaque nausée, chaque coup de pied la ramène dans le passé. Qu'est devenu son garçon ? Qui l'a adopté ? Elle essaie de se représenter son visage, mais sa mémoire n'y arrive plus, ne lui offrant que le chagrin du moment où elle a signé les papiers. À mesure que son ventre grossit, l'espoir de retrouver Michel diminue, et elle n'a même pas une seule photo de lui…

Ironie du sort

La naissance de leur deuxième enfant est prévue pour le 5 octobre, mais c'est par un matin de septembre que Gertrude crève ses eaux. Quelques heures plus tard, elle est allongée sur un lit à l'hôpital de Rouyn-Noranda. Un médecin est debout à côté d'elle, consultant son dossier. Il s'agirait d'un premier accouchement selon cette jeune femme, mais son expérience d'obstétricien lui dit que c'est sûrement une erreur et il s'en informe. La gorge serrée par la culpabilité,

Gertrude n'a pas le courage de lui dire la vérité. Comment expliquer à cet étranger que le 28 septembre de l'année précédente, alors qu'elle n'était pas encore mariée, elle a donné naissance à un fils ? Comment dire à ce vieux docteur qu'elle a failli mourir de chagrin lorsqu'une religieuse froide et revêche lui a ôté son fils des bras pour le remettre au service des adoptions ? En évitant son regard, elle garde la vérité cachée bien au chaud dans ses entrailles.

Dans la journée, les choses se précipitent. L'enfant semble pressé de venir au monde. Dans la chambre, les préparatifs se bousculent. Désorientée, Gertrude cherche des yeux un calendrier. Alors qu'on la transporte vers la salle d'accouchement, elle en repère un sur un mur. La date est affichée en rouge : 28 septembre ! « Mon Dieu ! Ce n'est pas possible ! »

Quelques heures plus tard, je venais au monde. Même jour, même mois que Michel !

Mamie et moi

À mon arrivée dans la famille Bordeleau, quatre vies étaient déjà brisées : celle de Mamie qui aurait préféré un autre mariage pour son aîné ; celle de mon père qui se sentait coupable d'avoir abandonné son fils ; celle de ma mère qui devait faire le deuil de son premier enfant ; et celle de Michel qui les attendait à la crèche. Comment mes parents survivraient-ils à tous les 28 septembre de leur vie ? Allaient-ils pleurer la perte de leur garçon ou célébrer la naissance de leur fille ?

Je porterais le prénom de Nicole. Glorien avait insisté pour qu'il en soit ainsi. (On apprendrait plus tard qu'il était secrètement amoureux de la célèbre journaliste Nicole Germain.) Irène, elle, serait ma marraine. Le jour de mon baptême, au grand désespoir de ma mère, Irène m'a offert une minuscule étole de chinchilla blanc. Par ce geste, elle affirmait haut et fort à mes parents qu'elle avait décidé de poursuivre son rêve d'une vie meilleure à travers moi.

Plus je grandissais, plus je ressemblais à Mamie. D'instinct, j'aimais le beau et je détestais le laid. Avant même que je sache lire ou écrire, elle m'enseignait les principes de l'élégance, de sorte que, très tôt, je suis devenue une critique de mode avertie. Mamie et moi passions des après-midi à nous bercer sur la galerie en feuilletant *Mode de Paris*. Rayonnante, elle me répétait souvent que, dans toute l'Abitibi, elle était la seule à recevoir ce magazine. Cela expliquait pourquoi il arrivait toujours avec trois mois de retard.

Un jour, pour mon anniversaire, Mamie m'a confectionné un manteau. « Il est aussi chic que celui de la princesse de Monaco », a-t-elle affirmé en me l'enfilant avec les gestes d'un grand couturier. De toute ma vie, je n'avais jamais rien vu d'aussi beau ! Avec son petit col relevé, ses poignets tournés et ses fins carreaux jaunes et blancs, ce manteau était tout à fait moi ! Mais rien au monde ne m'avait préparée à ce qui allait suivre : à l'intérieur du col, une étiquette portait les mots *Made in Paris*. J'étais tellement contente que j'ai bien failli tomber dans les pommes !

Aujourd'hui encore, je suis persuadée que Mamie avait discrètement retiré cette étiquette d'un vêtement appartenant à une riche cliente pour le recoudre sur mon manteau ! Ma grand-mère avait un tel pouvoir pour magnifier la réalité que, s'il le fallait, elle pouvait aisément se servir de la vérité pour mentir.

* * *

Petite, je ne savais rien de la relation entre mes parents et Mamie, mais plus tard j'ai compris l'influence de celle-ci sur notre famille. Elle profitait de ses visites à la maison pour prodiguer des conseils à ma mère qui n'en demandait pas tant. « Gertrude, le grand cadre dans le salon est beaucoup trop bas, le centre de l'image doit être à la hauteur des yeux. » « Gertrude, ce meuble serait plus beau en angle au lieu d'être contre le mur. » « Ma fille, on ne porte pas une robe de taffetas avec des chaussures de cuir verni, il faut des escarpins de cuir mat ! » Elle ne ratait pas une occasion de faire à sa bru ses recommandations sur la manière de s'occuper de Robert et de prendre soin de moi. Ma mère, elle, restait silencieuse. De toute façon, il lui aurait été impossible d'en imposer à Irène, d'autant plus que cette dernière nous aidait à boucler les fins de mois. Des années durant, j'ai cru que c'était parce que mon père ne gagnait pas assez d'argent que ma grand-mère laissait toujours un chèque sur la table avant de repartir, mais un jour ma mère m'a appris la vérité : Robert ne s'était jamais habitué aux contraintes financières que lui imposait sa situation de jeune père de famille. Pour lui, comme pour Irène, les apparences avaient énormément d'importance. Il préférait les costumes taillés sur mesure, les cravates de soie, les chaussures faites à la main, et il continuait d'en acheter.

Irène m'avait prise sous son aile et jamais je ne m'ennuyais auprès d'elle. J'adorais l'observer, elle qui passait d'un personnage à l'autre selon sa propre logique. Parfois, elle savait se montrer invincible, forte et conquérante, et la minute suivante elle était une femme frêle, inquiète et fragile. Elle s'asseyait alors dans sa chaise berçante, près de la grande fenêtre, et ses regards se perdaient au loin comme si elle attendait quelqu'un. Je pouvais déceler ses tressaillements nerveux, et bientôt la fumée de cigarette emplissait la pièce.

Quand enfin elle sortait de son mutisme, je la regardais, étonnée, se remettre au travail avec entrain et bonne humeur. J'étais ébahie de la voir ainsi se métamorphoser et se concentrer sur son travail, instantanément investie d'un réel sang-froid. La sachant totalement absorbée par ses créations, j'en profitais pour prendre d'assaut sa chambre à coucher. C'était mon sanctuaire d'élégance et de beauté. Je passais des heures à fouiller dans ses tiroirs pour admirer les bijoux, les magnifiques peignes, les longs gants, les sacs du soir garnis de perles, et la fine lingerie enveloppée dans du papier de soie. J'adorais porter ses breloques, ses colliers et ses étoles en faisant semblant de défiler ou en tournoyant sur place. Quand Irène se rendait compte que je jouais avec ses effets personnels, elle me rappelait auprès d'elle pour que je lui serve de mannequin.

Je me revois, droite comme un *i* près de sa machine à coudre. Mamie, des aiguilles entre les lèvres, me drapait de tissu et s'assurait d'aligner les motifs. « Arrête de gigoter ! » disait-elle. « Mais, Mamie, ça pique ! » Elle était si concentrée qu'elle ne réalisait pas toujours qu'elle me plantait des aiguilles dans la peau ! Souvent, durant ces séances d'essayage, Mamie se penchait à mon oreille pour chuchoter d'un ton grave : « Dans notre famille, il y a un secret ! » Elle relevait ensuite la tête et dressait l'index contre ses lèvres, comme pour sceller ce fameux secret en elle. Dans ma tête d'enfant, ce « secret » m'apparaissait comme l'immense main d'un fantôme qui hantait notre maison et qui avait le pouvoir de me faire « disparaître » à tout moment. La nuit, j'en faisais des cauchemars.

La boîte

Télégraphiste pour le Canadien National, mon père travaillait à la gare de Sanmaur. Même si son bureau n'était qu'à deux pas de notre maison, il m'était interdit d'aller le déranger, mais un jour, la veille de mon anniversaire, l'interdiction avait été levée et j'ai foncé vers la gare. À mon arrivée, mon père était là, debout, qui m'attendait. Dans ses mains, une grosse boîte emballée de papier brun. Je croyais que c'était le cadeau que m'offrait Mamie et qu'il était arrivé par le train du matin. En la prenant, je l'ai trouvée anormalement légère pour une boîte si grande et j'ai eu encore plus envie de voir ce qu'elle contenait !

Comme c'était le cadeau que m'offrait ma marraine, ce serait sûrement le plus beau de ma vie ! Au risque de tomber à la renverse, je n'ai pas même pris la peine de m'asseoir pour l'ouvrir. J'ai déchiré le papier d'emballage à deux mains, le jetant par terre. Mon cœur battait fort ! Puis j'ai soulevé le couvercle, et j'ai eu un grand choc : la boîte était vide ! Sur le coup, j'ai cru que la surprise était cachée tout au fond. Alors je me suis mise à tourner et à retourner la boîte dans tous les sens, à la secouer désespérément, dans l'espoir qu'il en tombe quelque chose, mais cette boîte était vraiment vide ! Je n'y comprenais rien et des larmes ont roulé sur mes joues.

À ce moment-là, mon père a éclaté de rire et j'ai levé les yeux vers lui. Voyant mon désarroi, il a jugé bon d'interrompre mon supplice. « C'était juste un tour ! » Et j'ai compris qu'il n'y avait jamais eu de cadeau. Pour apaiser mes sanglots, il a ajouté que le véritable cadeau de Mamie arriverait le lendemain, mais cela ne m'a pas consolée. Il était trop tard, le mal était fait. Ce jour-là, pour la première fois, j'ai entendu une voix en moi qui disait : « C'est de ta faute, de ta faute ! Tu es une méchante petite fille ! Tu ne mérites pas de cadeau ! » Avec cette voix, la honte s'est insinuée dans ma vie et dorénavant elle grandirait au même rythme que moi.

Jeux de rôles

L'année suivante, à l'approche de mon anniversaire, j'avais deviné qu'un mystère entourait ma naissance. J'étais encore petite, mais pas dupe. Ce n'était pas normal que l'atmosphère à la maison devienne si tendue à cette époque de l'année. Puis, lorsque le calendrier de la cuisine affichait la date fatidique du 28 septembre, je connaissais parfaitement l'ordre des choses : mon père partirait tôt pour le travail et rentrerait tard, un peu éméché. À la maison, ma mère ferait les cent pas du salon à la cuisine et de la cuisine au salon, plus vite que d'habitude. En fin d'après-midi, lorsque l'arôme du gâteau au chocolat commencerait à se répandre dans la maison, il y aurait une petite fête à laquelle seraient conviées mes amies. On m'obligerait à porter un affreux chapeau de fête, à souffler les bougies, à déballer des cadeaux en souriant à pleines dents pour les photos, puis à manger un morceau de gâteau. Je me revois au bout de la table, le visage maussade, détonnant dans cette fête annoncée par les guirlandes et les ballons. Tout cela sonnait tellement faux ! En vérité, nous avions hâte que le 28 septembre arrive… pour qu'il disparaisse au plus vite !

Peu après, je me suis mise à penser que j'avais peut-être été adoptée. Petit à petit, cette idée est devenue pour moi si réelle que chaque fois que j'en avais l'occasion je questionnais ma grand-mère au sujet de mes vrais parents : « Est-ce qu'ils vont venir me chercher bientôt ? » Mamie me répondait toujours la même chose : « Mais non, voyons ! Regarde-toi dans le miroir, tu ressembles beaucoup trop à ton père pour être une enfant adoptée ! »

Mais ma théorie était différente de celle de ma grand-mère. Dans mon imaginaire, mes « véritables » parents étaient des gens célèbres et fortunés, missionnaires en Afrique (ce qui justifiait leur absence), qui se lanceraient bientôt à ma recherche. Mon scénario se terminait toujours par la même scène : mon père et ma mère frappaient à la porte pour me réclamer et j'empoignais ma valise sur-le-champ. La tête haute, je filais avec eux vers la liberté !

« Mais, Mamie, si je ne suis pas adoptée, pourquoi Claude est-elle si différente de moi ? »

Dix-huit mois seulement me séparent de ma sœur cadette, mais physiquement nous sommes à des années-lumière l'une de l'autre. Claude est le jour et moi, la nuit. Grande et effilée, elle a les cheveux minces et très blonds ; moi je suis plutôt costaude et ma chevelure épaisse et frisée tire sur le noir. Comme mon père, j'ai le caractère fougueux et impulsif, alors que ma sœur, à l'image de notre mère, est douce, timide et très sensible. Grâce à l'affection qu'elle témoignait à notre père, Claude avait su devenir « la sienne ».

Tout au long de notre enfance, nos caractères différents se dessinaient nettement dans nos jeux. Mon besoin de m'affranchir de toute autorité se manifestait surtout lorsque nous jouions « à la madame ». Pour Claude, cela signifiait jouer avec ses poupées, mais dans mon monde une « madame » était une femme libre et indépendante. C'était un rituel : au début du jeu, je frappais à la porte de notre chambre qui devenait aussitôt la « maison » de ma sœur et je lui demandais de garder mes « enfants » pour la journée. Ainsi libérée de toute responsabilité, j'enfourchais mon vélo pour partir à l'aventure et goûter l'ivresse du large jusqu'à l'heure du souper !

Lorsque la pluie me retenait de force à la maison, je devenais une maîtresse d'école et, même si ma sœur détestait ce jeu, je l'obligeais à jouer le rôle de l'élève. Dans le hangar qui servait de remise, j'aménageais une salle de classe où je plaçais un petit bureau, un tableau et une sorte de cloche à vache. Je secouais cette cloche pour sonner le début et la fin de la classe. Assise à son pupitre de fortune, ma sœur devait lire un livre à voix haute, ce qu'elle redoutait, ou, pire encore, copier cent fois dans un cahier « J'aime ma grande sœur Nicole ». Est-ce à cause de ces drôles de jeux que Claude a toujours détesté l'école ? Je n'en sais rien, mais j'en éprouve encore aujourd'hui quelques remords !

Mon Dieu, donnez-nous un p'tit frère

C'est Mamie qui m'a appris la nouvelle : mes parents souhaitaient avoir un garçon. À partir de ce jour, l'atmosphère à la maison a changé. Le premier signe de cette transformation, le plus éclatant, a été la nouvelle attitude de mon père. Certes, il était toujours aussi impatient, mais il semblait plus heureux qu'avant. Ma mère, elle, paraissait plus épanouie. Dès que son ventre s'est arrondi, elle s'est mise à resplendir d'un bonheur si intense qu'elle en a eu l'air transformée.

Quant à moi, je profitais pleinement de cette accalmie. Maman m'avait dit que j'étais devenue une « grande fille », ce qui signifiait, à mon esprit, que j'étais désormais maîtresse de mon existence. Je découvrais l'excitation de goûter à ce qui était défendu, d'outrepasser les limites, et c'est ainsi que, cette année-là, pour la première fois, j'ai embrassé (de force) un garçon sur la bouche, exercice fort amusant.

Chaque fois qu'un adulte de mon entourage me parlait du bébé à venir, cela me laissait indifférente. Fille ou garçon, ça n'avait pour moi aucune importance. Mais, pour faire plaisir à ma mère, le soir avant de me coucher je me joignais à Claude pour répéter inlassablement la même prière : « Petit Jésus, s'il vous plaît, donnez-nous un p'tit frère. » Puisqu'il fallait prier par nécessité, j'en profitais chaque soir pour ajouter quelques demandes plus personnelles, comme une corde à danser, une poupée blonde, un sac de billes, des crayons de couleur, un livre d'histoires avec des images et un imperméable rouge à capuchon. Par pudeur, je ne mentionnais pas la bicyclette CCM aux poignées mauves que j'avais encerclée dans le catalogue Sears, mais j'espérais de toutes mes forces que Jésus lirait dans mon cœur.

De son côté, pour appuyer notre cause, Mamie avait entrepris un marathon de prières. Nous ne demandions quand même pas un grand miracle, mais ma grand-mère Bordeleau priait tout de même en boucle, ou comme un disque rayé. Donc, elle faisait une neuvaine... une dizaine... et probablement une vingtaine... En plus de ses litanies quotidiennes, elle allait faire brûler des lampions à l'église. J'aimais bien la suivre dans son pèlerinage, mais je m'ennuyais à mourir quand elle discutait avec les grandes personnes. Alors je piétinais sur place, jusqu'à ce qu'elle me confie la tâche d'aller allumer moi-même les lampions. Arrivée à la hauteur des bougies, je glissais l'argent dans la petite fente de la boîte en métal, mais il m'arrivait parfois de garder ces sous pour m'acheter plus tard une tablette de chocolat, une orangeade ou les fameuses cigarettes Popeye !

Au milieu de mai, nos prières ont été exaucées. J'ai reçu ma bicyclette CCM et ma mère a donné naissance à un garçon. Avec son petit menton et ses longs cils comme ceux d'un ourson, il était beau comme un cœur. Du jour au lendemain, Mamie n'a plus parlé du fameux « secret ». Étrangement, l'arrivée de cet enfant a miraculeusement chassé le fantôme qui flottait sur nos têtes et j'ai enfin eu l'impression d'avoir une famille comme les autres. En plus, j'ai appris une autre bonne nouvelle : parce que j'aimais tant ce petit garçon, j'aurais l'honneur de lui donner son prénom. Sur le coup, j'ai fait semblant de réfléchir quelques secondes, mais j'avais déjà pris ma décision. Comme j'étais secrètement amoureuse du voisin que j'avais embrassé de force, j'avais décidé que mon frère s'appellerait comme lui, Denis, en l'honneur de ma première flamme !

* * *

J'étais maintenant assez grande pour comprendre la différence entre le monde des apparences et la réalité. De l'extérieur, nous devions avoir l'air d'une famille tricotée serré, mais dans l'intimité nous vivions de nombreuses déchirures. Cet écart entre le réel et la vérité, je le ressentais en observant mon père et j'éprouvais à cet égard des sentiments mêlés. C'est qu'il montrait deux visages, un qu'il affichait hors de la maison, et un autre pour nous, sa famille. À la gare, il faisait preuve d'un sens irréprochable du devoir, et il était d'une increvable loyauté envers ses amis qui le lui rendaient bien. Partout où nous allions, on admirait son élégance, sa culture, et on le respectait pour son intelligence qu'on disait supérieure. À la maison, c'était différent. Son sourire s'effaçait, sa fatigue apparaissait et il pouvait se montrer dur, impulsif et colérique. Pour un oui ou pour un non, il éclatait souvent d'une terrible colère. Quand un « tabarnac ! » retentissait dans l'air, l'heure était grave. C'était le moment de fuir à toutes jambes ! Ou de vite plonger la tête dans un livre dans l'espoir d'être invisible. Malheureusement, à l'heure des repas, il était impossible de fuir. Mon père nous avait assigné notre place à table et la mienne était directement à sa droite. J'ai vite compris que, puisqu'il était droitier, c'était pour m'avoir à sa portée en cas de réprimande. Mon père n'a jamais levé la main sur moi, cela n'était pas nécessaire, car un seul de ses regards suffisait à me statufier sur place !

Ma mère était d'une nature opposée à celle de mon père. Indulgente, elle n'élevait jamais la voix. J'avais souvent l'impression qu'elle vivait dans un autre monde, inatteignable, loin du mien. Parfois, sans raison, ses yeux s'éteignaient au beau milieu d'une conversation, comme si elle venait de s'évaporer. J'avais beau chercher à attirer son attention, elle ne me voyait plus. De temps à autre, je percevais l'immense tristesse qu'elle portait en elle et je la soupçonnais de pleurer en cachette quand elle était seule à la maison. J'en avais déduit que c'était à cause du « secret », et cela m'angoissait. Alors je courais me réfugier dans ma chambre et je priais pour grandir très vite ! Mais aussitôt je ravalais ma prière car, si c'était cela être femme, je préférais rester une enfant.

Dévotion

Depuis la naissance de notre petit frère, j'avais la preuve que quelqu'un, quelque part, entendait nos prières, et j'ai commencé à me sentir attirée par la religion. Même si je n'aimais pas le catéchisme qu'on m'enseignait abondamment à l'école, j'adorais me retrouver seule à l'église. Je me réveillais souvent à l'aube pour aller assister à la première messe du matin. Les mots, les gestes et les rituels sacrés répétés immuablement me distrayaient de l'atmosphère imprévisible de la maison et m'apaisaient. Dès que j'entrais dans l'église, je m'arrêtais pour jouir de la pénombre des lieux, contempler l'immensité de l'espace et écouter la densité du silence qui, parfois, me donnait le vertige. Durant la cérémonie, je me plaçais toujours un peu de biais pour dévisager les religieuses. J'étais fascinée par la sérénité de leur visage. Aucun adulte de mon entourage n'avait jamais affiché une telle tranquillité. Dès l'âge de huit ans, j'avais la certitude que je deviendrais religieuse.

Un après-midi, j'ai décidé de prendre de l'avance sur mon plan de carrière en allant offrir mes services au couvent. Peu après, deux fins d'après-midi par semaine, je suis devenue aide-religieuse (titre que j'avais inventé pour décrire à mes parents mes nouvelles fonctions au couvent). « M'man, j'vais travailler au couvent avec les sœurs ! » Ma mère, avec un haussement d'épaules, a continué de faire manger mon petit frère, et mon père n'a même pas levé la tête de son journal. Personne à la maison ne semblait impressionné de voir que ma carrière religieuse démarrait en trombe. Cela dit, je n'avais pas besoin de leurs encouragements : je m'acquittais d'une mission divine ! Du haut de mes quatre pieds et quelques pouces, j'avais suffisamment de volonté et de persévérance pour réussir dans le monde religieux.

Bientôt, mon nouveau zèle me poussait à me rendre au couvent même les week-ends. J'étais en train de devenir ce qu'on appelle une « fidèle ». Pendant que mes amis jouaient dehors au ballon-chasseur, je balayais la grande galerie du couvent ou je faisais du rangement autour de la maison brune des Sœurs du Bon-Pasteur. Je me revois dans mon uniforme scolaire, tunique marine et blouse blanche, le visage sérieux comme celui du pape, remuant les lèvres comme si je priais en travaillant. Je me découvrais soudain une passion pour le ménage : je pliais soigneusement serviettes, torchons et mouchoirs, j'époussetais les meubles du presbytère, rangeais les linges liturgiques des prêtres, frottais les calices et les ciboires, et un jour on m'a même confié la tâche délicate de tailler des hosties (j'en laissais parfois tomber quelques-unes dans mes poches pour les grignoter sur le chemin du retour). « Pour une fille qui ne fait même pas son lit, ça m'étonne ! » s'est exclamée ma mère après avoir entendu le compte rendu de mes responsabilités.

Lorsque je n'étais pas avec les religieuses, je n'en finissais plus de me questionner sur leur « joie de vivre ». Comment faisaient-elles pour être si heureuses ? Elles n'avaient aucune raison d'être si sereines : elles étaient pauvres, habitaient des chambrettes exiguës où il n'y avait qu'un petit évier, une commode, un lit et une chaise. Elles ne possédaient qu'un seul uniforme, n'avaient ni voiture, ni téléviseur, et pourtant elles affichaient toutes le même contentement, la même joie paisible. Toutes, à l'exception d'une seule : sœur Marcelle. Pas tellement plus grande que moi, elle avait de petits yeux bleus perçants et fort rapprochés, une bouche pointue et un cou plissé dont la peau pendait en plis flasques sur sa gorge, lui donnant l'apparence d'un vieil iguane. Je pouvais sentir qu'elle n'aimait pas les enfants. Cette femme me fichait la trouille !

En revanche, j'adorais sœur Nicole, peut-être parce qu'elle portait le même prénom que moi ! Un peu rondelette, elle avait un sérieux penchant pour les plaisirs de la table. Malgré son poids, elle avait le pas aérien comme celui d'un ange. On aurait dit qu'elle cachait une paire d'ailes sous son long voile noir. Souvent, elle en rejetait un pan vers l'arrière, comme si cet uniforme l'empêchait de prendre son envol. J'étais muette d'admiration devant chacun de ses gestes, et de retour à la maison je l'imitais. Je circulais lentement entre les meubles, soulevais les objets avec précaution, et je souriais sans raison. Tout cela me rendait profondément heureuse. Ça et la fumée d'encens que je respirais à pleines narines, parce qu'elle me faisait l'effet d'être un peu ivre !

Jouer avec le feu

En 1967, j'ai dix ans. Nous allons en famille visiter l'Exposition universelle de Montréal. Avec mon « passeport » en poche et le sérieux d'une grande journaliste, je note mes impressions au sortir de chaque pavillon et je fais même mes recommandations aux touristes étrangers.

Quelques jours plus tard, de retour à la maison, je suis tellement impressionnée par ma découverte de ce que j'appelle « le monde entier » que ma ferveur religieuse commence à en souffrir. Dorénavant, lorsque je suis au couvent, j'ai l'impression de perdre mon temps. Je revois en pensée les pavillons de l'Expo et je sais maintenant qu'il y a, quelque part, un univers beaucoup plus excitant que celui de la grosse bâtisse brune des Sœurs du Bon-Pasteur. Peu à peu, la routine du couvent consume mon enthousiasme et l'ennui s'installe, si bien que, un après-midi, sans crier gare, je remets ma démission. J'ai le goût de vivre plus dangereusement et j'ai besoin d'un nouveau défi pour éprouver mon courage et ma débrouillardise.

Quand arrivent les vacances scolaires, je suis vite expédiée chez ma grand-mère Bordeleau. C'est un réel bonheur de me retrouver en sa compagnie. L'année de mes onze ans, puisque j'ai commencé à fumer plus régulièrement, j'élabore un plan en arrivant chez Mamie : je veux profiter de l'été pour démarrer une petite *business* afin de devenir plus indépendante et, disons-le, d'avoir assez d'argent de poche pour m'acheter des cigarettes. J'en ai assez de fumer les immondes cigarettes de mon père et il m'est impossible d'en voler à Mamie. Chaque fois qu'elle ouvre la grande armoire blanche pour en sortir son paquet, je la vois qui compte ses cigarettes du bout du doigt. Parfois, elle me jette un drôle de regard plein de soupçons. Pour l'attendrir, je lui fais mon sourire d'enfant de chœur et je cours chercher son briquet.

Contrairement à l'alcoolisme de mon père, celui de mon grand-père faisait mon affaire, et je me servirais de Glorien pour mettre mon plan à exécution. Doux comme un mouton et d'une générosité sans bornes, il serait la victime parfaite pour ma petite entreprise de chantage. Pour boire sa ration quotidienne de gin, il devait le faire en cachette d'Irène, et j'avais découvert qu'il dissimulait ses bouteilles tout autour de la maison. J'avais donc eu l'idée de dénicher ses fameux flacons verts pour ensuite les lui revendre à gros prix.

Le matin, je me lève tôt pour entreprendre mes recherches. Je scrute à la loupe les alentours de la maison, je rampe sous la galerie, soulève les pots de fleurs, fouille les buissons. Dans ma tête, je suis une espionne que rien n'arrête. Et je suis très efficace. Dès que je tombe sur une bouteille, je me précipite sur Glorien pour qu'il achète mon silence. S'il refuse, je fais demi-tour en lançant tout bonnement : « J'vais l'dire à Mamie qu'y a une bouteille de gin sous la galerie. » « Ma p'tite bonyenne ! » pestait mon grand-père. Le pauvre, ne pouvant se plaindre à personne, tirait d'une poche arrière de ses pantalons le petit étui de plastique mauve dans lequel il rangeait sa monnaie. Rapidement, mes enquêtes se sont avérées fort lucratives. Au sommet de ma carrière, je revendais deux ou trois flacons par jour. Heureusement, mon grand-père n'avait pas l'imagination de ma grand-mère et utilisait souvent les mêmes cachettes ! Bien entendu, je me sentais coupable d'abuser ainsi de sa bonté, mais il fallait bien que je gagne ma vie !

Ces étés-là, je me sentais libre au milieu de ces grands espaces et j'avais une confiance inébranlable en la vie et en moi-même. Au début de septembre, je rentrais à la maison avec le visage bronzé, enivrée par le bonheur de ces vacances.

Bouleversements

J'émerge de l'enfance et j'entre dans l'adolescence au moment où notre univers familial est en plein chambardement. Le nouvel emploi de superviseur de mon père nous oblige à nous transformer en nomades. Nous changeons d'amis, d'école, de maison; nous déménageons dans une nouvelle ville presque chaque année. Chaque fois qu'on doit faire les boîtes et plier bagage, je ressens un profond déracinement et je deviens de plus en plus rebelle. Polie, aimable et serviable en public, je reste une première de classe qui s'attire les compliments de ses professeurs, mais à la maison je suis impulsive et bouillonnante de rage. La prophétie de Mamie était juste : je ressemble de plus en plus à mon père.

Retirée dans ma chambre, je fais comme si le monde ne me concernait pas. J'ai découvert la lecture et je lis tout ce qui me tombe sous la main. Peu importe la ville où nous nous trouvons, je passe des heures à la bibliothèque municipale. Les histoires qui me passionnent le plus sont celles des grandes héroïnes victimes de coups durs, mais qui sortent victorieuses de leurs aventures. Ma vie d'adolescente enfouie au fond de l'Abitibi n'a de sens qu'à travers leurs histoires. Comme elles, j'ai soif d'un monde différent.

* * *

Quand arrivent les années 1970, j'entre dans une période déterminante de ma vie. Nous vivons maintenant à Senneterre, en Abitibi. Mon père, ayant obtenu un poste permanent au Canadien National, décide d'acheter un duplex, et moi je me lance dans ma quête de liberté. Impatiente de vivre comme une adulte, je rêve de multiplier les expériences et j'ai hâte de paraître plus vieille que mon âge.

Puisque je dois partager ma chambre avec ma sœur, je me réfugie souvent au sous-sol. C'est mon territoire et je m'y sens comme la reine des lieux. C'est là que je cache tout ce qui m'est défendu : cigarettes, allumettes, patchouli, romans et quelques produits de maquillage. La sortie définitive de l'enfance, l'arrivée dans une nouvelle ville, la découverte d'un corps transformé et le désir de liberté provoquent en moi des changements radicaux. Je me préoccupe de plus en plus de mon apparence physique, je choisis mes vêtements avec soin et je deviens plus consciente du monde qui m'entoure.

Sous l'influence de Janis Joplin, Shawn Phillips, Led Zeppelin, Pink Floyd et Cat Stevens, je tombe amoureuse et je fréquente — en imagination — le gars de mes rêves. Malheureusement, il s'agit d'un amour presque impossible, d'abord parce que ce garçon est beaucoup plus vieux que moi, ensuite parce qu'il est un des chefs d'un groupe de motards, ceux que mon père appelle avec mépris des « gars de bicycle ». De toute façon, mon père m'interdit formellement de sortir avec des garçons.

Mais depuis que je suis toute petite, mon cerveau est ainsi fait que, lorsqu'il entend le mot « défendu », quelque chose se réveille en moi et la flamme de la curiosité s'allume, embrase mon imaginaire, et l'interdit se transforme en un irrésistible feu d'artifice. C'est sûr que je vais aller m'y brûler !

Un soir, alors que j'ai treize ans, presque quatorze, je décide que la vie est trop courte et qu'il n'est plus question d'attendre. Mon rêve doit se concrétiser maintenant ! Pendant plus d'une semaine, je complote avec une amie pour qu'elle m'accompagne au « bunker » des motards, un peu en retrait de la ville. Je me vois déjà libre, les cheveux au vent, emportée sur une moto qui file à cent milles à l'heure, loin, très loin du sous-sol de notre maison de Senneterre.

Un beau jour, me voilà prête ! Dans mon sac en macramé, je glisse un fard à paupières, un *blush* pour les joues, un miroir de poche, des kleenex pour bourrer mon soutien-gorge, et je me parfume au patchouli en espérant que ces effluves l'enivreront. Je n'oublie pas d'apporter deux cigarettes… Je ne sais pas s'il fume, mais, si oui, je pourrai lui en offrir une.

Mon amie et moi réussissons à gagner à vélo le repaire des motards. Apparemment, nous tombons bien, car dès notre arrivée on nous invite à entrer. Le « royaume », comme l'appellent les initiés, est beaucoup plus petit que je ne l'avais imaginé. Hormis la toilette, il n'y a qu'une seule pièce. Sur le mur du fond, un vieux réfrigérateur agonisant et deux canapés de cuirette noire se disputent l'espace. Un peu plus loin, une table de pique-nique et une chaîne stéréo flambant neuve. Mon amie et moi nous assoyons près de la grande fenêtre et j'attends patiemment celui qui me délivrera de la platitude de mon quotidien. Il ne s'est encore rien passé, mais déjà mon souffle est court. Jamais je n'ai connu d'attente si vertigineuse !

Oh ! Mon Dieu ! Ça y est ! Il arrive ! Je colle le front contre la vitre et je constate immédiatement qu'il n'est pas du tout comme je le croyais. Ce gars qui descend de moto ne ressemble en rien à celui qui passait devant l'école. Je suis déçue, mais je n'ai pas l'intention de reculer ! Je me dis que, le lendemain, en classe, mes amies voudront que je leur fasse le compte rendu de cette soirée, et il ne faudrait surtout pas que je perde la face. Finalement, mon « amoureux » entre dans le bunker et s'arrête devant moi. Je vois qu'il hésite, alors j'ouvre la bouche avant lui. Je bégaie, je bafouille, je lui raconte n'importe quoi pour me rendre intéressante. Pourtant, plus les secondes passent, plus il devient beau à mes yeux. Je peux maintenant sentir l'odeur de sa veste de cuir, et je trouve qu'elle lui fait une belle carrure. J'aime ses yeux bruns qui flottent dans la brume, comme ceux d'un enfant délinquant. En l'examinant de plus près, je lui découvre une fossette au menton, et ça me plaît. Une sensation toute neuve m'envahit soudain. Je suis amoureuse !!!

Tout se passe très bien entre nous, jusqu'au moment où il me demande mon âge. J'en profite pour tousser... et pour mentir un peu, reculant ainsi de trois ans mon arrivée sur cette terre. Quelques instants plus tard, je sais qu'il m'a crue, car je grimpe à l'arrière de sa Kawasaki 760 bleue. Tant pis pour mon vélo et pour mon amie ! J'aurais voulu que nous filions à toute vitesse sur l'autoroute vers notre futur, heureux jusqu'à la fin de nos jours, mais en réalité nous roulons à quarante kilomètres à l'heure sur un chemin de gravier qui ne mène nulle part. Qu'à cela ne tienne, je lui serre la taille comme si j'avais peur, je rejette la tête en arrière pour ébouriffer mes cheveux, puis j'enfonce le nez dans sa veste de cuir. Dix minutes plus tard, il freine et coupe le moteur sous un lampadaire, en plein dans la rue où j'habite. Il penche un peu la moto pour que j'en descende. J'ai la gorge sèche, mon cœur bat à tout rompre, c'est maintenant... Il va m'embrasser. Dois-je fermer les yeux ou les garder ouverts ? Soudain, j'entends un « bye » tout sec, aussitôt suivi d'un coup d'accélérateur. Il disparaît sans même m'embrasser !

J'ai dû faire le tour du pâté de maisons deux fois avant de pouvoir cesser de pleurer. Je vivais ma première rupture amoureuse et je croyais bien que j'allais en mourir. Mais, quelques jours plus tard, j'étais redevenue une jeune femme libre.

Libre est un bien grand mot. Je n'ai jamais su qui avait dit à mes parents que j'étais allée au bunker des motards, mais jamais je n'avais vu mon père si furieux. Ma mère était certaine qu'il allait faire une crise cardiaque. Ses yeux semblaient vouloir lui sortir de la tête et une grosse veine bleue lui barrait le front. Ma punition a été sévère : un mois complet sans quitter la maison, sauf pour aller à l'école ou faire des courses avec ma mère.

Miroir, miroir...

Jusque-là, mon père n'avait jamais émis de commentaires désobligeants sur ma personne, se contentant de critiquer mes amis, mes vêtements, mes goûts musicaux et mes choix de lecture. Mais un jour, il a changé de tactique, désormais convaincu qu'en démolissant l'image que je me faisais de moi-même, il parviendrait à dompter mon caractère pour m'éviter un destin semblable à celui de ma mère.

L'été de mes quatorze ans, lorsque mon corps a commencé à montrer des signes de féminité, mon père semblait doublement préoccupé. À mesure que mon apparence changeait, il ajoutait des règlements à mon code de conduite.

Un vendredi soir, j'ai demandé à ma mère la permission d'assister à la fête d'anniversaire d'une amie. Aussitôt, mes parents ont tenu conseil au salon à ce sujet. « Tant qu'elle vivra sous mon toit... » Le reste de la phrase de mon père était incompréhensible. La bouche pâteuse, il avait bu plus que d'habitude. J'ai alors entendu ma mère le prier de me laisser un peu de liberté. Après un long silence, il a donné un coup de poing sur la table : « C'est non ! » Et quelque part une porte a claqué. J'ai pleuré toute la soirée dans ma chambre.

* * *

Il était clair que mon père n'aimait pas me voir devenir une jeune femme. De plus en plus sévère à mon égard, il m'interdisait désormais de porter des jeans, d'épiler mes sourcils, de me maquiller. Je devais m'attacher les cheveux en queue de cheval, sinon il menaçait de me les faire couper. Je n'avais pas le droit de sortir le soir, d'aller au cinéma ou au restaurant avec des amis. J'avais beau avoir d'excellentes notes à l'école et lui présenter des amis dont il connaissait les parents, j'avais beau supplier, menacer, faire des promesses, il n'y avait rien à faire, il contrôlait toutes mes allées et venues. Nous étions deux prisonniers forcés de vivre dans la même cellule. Jour après jour ma relation avec mon père se dégradait.

Un soir, il m'a appelée « la grosse ». J'ai d'abord cru à une mauvaise blague de sa part, puisque je n'étais pas grosse du tout, mais il a recommencé le lendemain. Et le surlendemain. Que ce fût devant la parenté, des visiteurs ou mes amis, désormais j'étais devenue « la grosse ». Je m'efforçais de rester de glace devant les gens, mais dès que je me retrouvais seule je tombais en morceaux.

Si étrange que cela puisse paraître, j'aurais pu m'y faire si mon père m'avait surnommée « toutoune ». Il y a quelque chose d'attachant dans ce surnom affectueux qu'on donne parfois aux enfants qu'on aime. Mais « la grosse », c'est différent, c'est douloureux à entendre et lourd à porter. Cette année-là, l'image que j'avais de moi se déformait peu à peu et je m'enfermais sans cesse dans ma chambre pour vérifier s'il avait raison.

Je me revois debout sur le matelas mou du lit, tentant de garder mon équilibre, pour pouvoir m'observer de la tête aux pieds dans le grand miroir de la commode. J'y voyais surtout les traits d'une adolescente qui faisait plus vieille que son âge en raison de l'inquiétude qui se lisait sur son visage. Munie du galon de couturière que j'avais soutiré de la boîte à couture de ma mère, je mesurais sévèrement la taille de mes seins. J'ajustais soigneusement mes t-shirts pour que les rayures ou les motifs soient bien droits sur ma poitrine. Je me scrutais à la loupe, pouce par pouce. Verdict ? Mes seins étaient trop petits. J'avais beau soulever les bretelles de mon soutien-gorge, ça ne bombait pas. Tout ce que je voyais de moi était laid et imparfait. Découragée, je m'allongeais sur le dos, rétractais le nombril vers la colonne vertébrale pour m'aplatir le ventre, puis je me relevais pour examiner le résultat. Déprimant ! Un petit bourrelet de graisse débordait de la taille de mes pantalons. Je creusais l'abdomen davantage, sans expirer. Je m'assoyais ensuite sur le bord du lit et à l'aide de mes mains j'évaluais la circonférence de mes cuisses. Je les examinais minutieusement, devant, derrière, de côté, puis je les mesurais avec le galon. Résultat ? Trop potelées ! J'entendais la mauvaise voix me dire : « T'es grosse et c'est ta faute ! » Oui, je suis grosse ! Mon père a raison ! Je le déteste. Et je déteste mon corps !

Prendre mon envol

En 1972, j'avais quinze ans et l'ambiance à la maison était redevenue plus sereine. Mes parents s'étaient fait de bons amis et mon père s'était découvert une passion pour la chasse. De plus, il avait recommencé à écouter de la musique classique et à siffler des airs d'opéra. Ma mère aussi paraissait plus légère.

Mes plus grands moments de bonheur, je les vivais à l'école. J'aimais me réfugier dans cet univers où j'étais fascinée par tout ce que je pouvais apprendre. Cette année-là, j'allais rencontrer deux professeurs marquants. Le premier, Réal Bordeleau (sans lien de parenté avec moi), enseignait la littérature. Il avait recours à toutes sortes d'astuces pour que ses étudiants tombent amoureux de la langue française. Grâce à des textes poétiques et à des éclats de mots ponctués de longs silences, il nous inculquait sa soif d'apprendre et réussissait à maintenir mon attention et ma curiosité bien éveillées. Il m'apprendrait à mieux choisir mes lectures, et peu à peu j'ai délaissé mes héroïnes pour plonger dans l'univers de Balzac, Zola, Proust, Gabrielle Roy, Michel Tremblay, et bien d'autres. Grâce à monsieur Bordeleau, j'ai ouvert les yeux sur un horizon de culture qu'il m'était impossible d'imaginer, mais qu'il me serait désormais impossible d'oublier.

Gaétan Bélanger, lui, était professeur d'arts plastiques. Durant la période la plus trouble de mon adolescence, il m'apprendrait à canaliser mon énergie en m'enseignant le théâtre. C'était la chose la plus extraordinaire qui pouvait m'arriver puisque, sans le savoir, j'allais assouvir mon désir d'évasion et développer l'inestimable outil de la confiance en soi ! Sous sa direction, j'ai appris à déceler l'essence d'un texte et à incarner un personnage, à projeter la voix et à me servir de mon corps pour habiter la scène. Grâce aux rôles qu'il me confiait, je pouvais tour à tour exprimer ma révolte, ma colère, ma rage, ma peur, ma joie et ma foi. Sans faire de mal à personne, j'apprenais à naviguer sur la mer démontée de mes émotions, ce qui était pour moi une vraie thérapie. De plus, lorsque je jouais, je me sentais regardée, écoutée, admise et reconnue. Cette sensation d'être quelqu'un me procurait une énergie incroyable.

Mes parents connaissaient maintenant mes allées et venues. J'employais mes moments libres pour mémoriser mes textes et je répétais tous les week-ends. Ma période noire était dorénavant derrière moi. Grâce au théâtre, mon caractère s'apaisait et mon humeur se stabilisait. Au début des vacances scolaires, mon père m'a même permis de prendre un emploi à temps partiel chez Nico Musique, une petite boutique de disques et d'instruments de musique. J'étais heureuse de gagner un peu d'argent et de m'offrir des choses qui me plaisaient.

Le même été, adolescence oblige, j'ai fumé de la marijuana pour la première fois. J'ai détesté ça ! Sur le coup, la paranoïa s'est emparée de moi, ensuite j'ai eu une folle envie de manger du chocolat. Un peu plus tard, j'ai expérimenté d'autres substances, dont le haschisch et l'opium. Là non plus, je n'ai pas accroché. En fait, rien ne pouvait rivaliser avec ma nouvelle passion. Avec le théâtre, je n'avais pas besoin de drogue, car j'avais la certitude d'avoir découvert le nirvana !

Mon avenir était tracé : j'allais travailler fort, obtenir d'excellentes notes, terminer mes études secondaires et m'inscrire à une grande école d'art dramatique de Montréal. Je me cramponnais à ce rêve de toutes mes forces. Le soir, avant de m'endormir, je le repassais en esprit, étape par étape, le reprenant chaque fois du début pour mieux sentir la joie et l'excitation frémir en moi. Je fermais les yeux pour compter les mois, les jours, les heures qui m'en séparaient. Je ne doutais plus de rien. La vie soufflait sur moi pour que je prenne mon envol.

Ziggy Stardust

Un beau samedi matin de la fin août, j'étais seule à la boutique à classer tranquillement les nouveaux arrivages de disques, *8-tracks* et cassettes. Quand mes yeux se sont posés au fond de la boîte, sur le dernier album, j'ai poussé un hurlement tellement le choc était grand ! Les jambes molles, j'ai failli tomber dans les pommes ! À quinze ans, je découvrais l'univers de David Bowie et *The Rise and Fall of Ziggy Stardust and the Spiders from Mars.*

Jamais, au grand jamais, je n'aurais pu imaginer qu'il existait quelque part une planète où les garçons se maquillaient comme des filles ! Quelque chose en moi s'éveillait et s'émerveillait. J'ai eu aussitôt l'étrange impression que cette photo me donnait la permission d'être moi-même, sans toutefois me dire comment faire ni pourquoi. À la fin de ma journée de travail, l'album sous le bras, je me suis précipitée chez Anne pour lui présenter David.

Anne était ma meilleure amie. Elle avait une magnifique chevelure, un peu à la Janis Joplin, avec ses épaisses boucles flamboyantes qui lui dessinaient un halo lumineux tout autour du visage. Plus grande et plus mince que moi, elle marchait lentement, parlait doucement, et semblait déjà posséder, à quinze ans, une sagesse naturelle. Si mon univers intérieur était houleux, tumultueux et même orageux, le sien était calme et paisible. Au bout de quelques minutes en sa compagnie, ma bouillante personnalité s'apaisait. Anne, c'était mon baromètre.

Ce samedi-là, je suis arrivée chez elle si excitée qu'on aurait cru que je venais de découvrir la carte d'un Nouveau Monde ! Pendant que le tourne-disque diffusait la musique dans toute la pièce, Anne écoutait, les yeux fermés, sans rien dire, et moi je tapotais des doigts, impatiente de connaître son opinion. Finalement, elle ne semblait pas partager mon enthousiasme pour David Bowie, mais nous allions bientôt faire la connaissance de quelqu'un qui l'aimait autant que moi.

Un après-midi, sur le trottoir devant la buanderie, nous avons croisé Normand pour la première fois. Il avait les bras chargés de sacs et nous l'avons aidé. Nous sommes instantanément devenus des amis. Normand, avec ses yeux doux et ses cheveux mi-longs et bouclés, avait le physique d'un ange. J'adorais sa façon de parler, en étirant les mots du bout de la langue. Cette particularité me le rendait fort attachant. Avec lui, je pouvais discuter de tout : mode, musique, art, littérature, théâtre et cinéma. J'étais d'autant plus impressionnée que Normand était le premier homosexuel que je rencontrais. Dans notre petite municipalité, on ne parlait jamais de ces choses-là. L'homosexualité, ça n'existait pas ! Par contre, je me rappelle une personne qui, pendant quelque temps, avait éveillé les soupçons dans le village. Un peu plus tard, cette personne avait dû déménager dans la « grande ville », comme disaient les habitants, ce qui me laissait croire qu'il était honteux d'être « comme ça ».

Soudainement, sans comprendre pourquoi, je me suis sentie happée par l'univers de Normand. Je le bombardais de questions sur sa vie, sur ses amis et sur les endroits qu'il fréquentait. Je l'écoutais avec fascination et, en moi, un je-ne-sais-quoi s'émerveillait, peut-être l'idée d'un univers où l'on pouvait se permettre d'être différent des autres. Je tentais de rester neutre, mais je voyais dans les yeux de Normand qu'il avait deviné ce qu'il m'était impossible d'admettre !

Des ailes brisées

Avec l'aide de Gaétan Bélanger, j'ai passé des mois à me préparer pour jouer le rôle de Manon dans la pièce *Manon Last-call* de Jean Barbeau. Quelques mois plus tard, comme si la vie voulait me confirmer que j'étais sur la bonne voie, j'ai gagné un prix d'interprétation. Mon scénario de bonheur mille fois imaginé était en train de se concrétiser. Le moment était parfait : j'arrivais à la fin du cours secondaire et je devais choisir mon domaine d'études collégiales. Deux semaines plus tard, j'ai rempli un formulaire d'inscription au programme d'art dramatique du collège Lionel-Groulx de Sainte-Thérèse. Débordante de joie, je suis allée déposer l'enveloppe à la poste. Étonnamment, l'attente du verdict ne m'angoissait aucunement, au contraire, cela me donnait une nouvelle confiance en moi. Je n'étais pas pressée, j'avais trouvé mon métier. J'avais toute la vie devant moi pour m'exercer, travailler et parfaire mon jeu.

J'ai attendu quelques jours avant de mettre ma mère au courant de mes aspirations, mais je lui ai fait promettre de n'en rien dire à mon père. Je tenais à lui faire la surprise moi-même. J'imaginais déjà sa grande fierté lorsqu'il apprendrait que sa fille aînée était acceptée dans une grande école de théâtre ! Ma mère, inquiète, m'avait prévenue qu'il ne serait pas facile à convaincre. Moi, j'étais persuadée du contraire. Cette fois, en raison de mes excellents résultats scolaires, j'avais la certitude qu'il me soutiendrait et m'encouragerait. Après tout, mon père pouvait citer Shakespeare, Molière, et bien d'autres auteurs que je ne connaissais pas. Lui-même avait fait partie d'une troupe d'amateurs et, lorsqu'il en parlait, il ajoutait toujours qu'il aurait adoré poursuivre cette expérience. Il serait sûrement heureux pour moi ! Je le savais ! Je le sentais !

Je me souviens encore de cette scène comme d'une hallucination. Mon père est assis au bout de la table, la lettre confirmant mon admission au collège Lionel-Groulx est dépliée devant lui. Mais, à distance, je ne peux déchiffrer l'expression de son visage. Lorsque je m'avance un peu vers lui, je vois ses yeux qui se promènent lentement sur le papier, de gauche à droite. J'ai les mains froides et moites. Lorsqu'il soulève les épaules, je crois qu'il se concentre davantage et, pour ne pas le distraire, j'arrête de respirer. Il a terminé ! J'entends mon cœur cogner ! L'instant d'après, il lève son regard vers moi. Ses yeux s'accrochent aux miens juste assez longtemps pour que je comprenne qu'il s'en veut de me faire souffrir, mais c'est plus fort que lui ! La réponse est non ! Il est hors de question que j'aille à l'école de théâtre. Tombée du rideau ! Selon lui, ce n'est pas un métier pour une fille. Je dois choisir un domaine où mon avenir est assuré, sans quoi il ne me donnera pas un sou. C'est à prendre ou à laisser. Mon rêve se déchire en morceaux devant mes yeux ! Je cours m'enfermer dans la salle de bains, comme lorsque j'étais enfant, et je pleure à grands sanglots. Je sens que quelque chose se détache de moi, comme si le lien qui me rattache à la vie voulait se rompre.

Tentative de sauvetage

J'ai bien pensé faire une fugue, mais qu'est-ce que ça aurait changé ? Pour poursuivre des études en théâtre, il m'aurait fallu de l'argent et je n'en avais pas. Quelques semaines se sont écoulées, durant lesquelles mon corps a littéralement pris congé de ma tête. Puis, la résilience aidant, j'ai recommencé lentement à exister. J'ai repris possession de mes sens et un nouveau plan d'évasion a pris forme : j'allais m'inscrire au cégep de Limoilou, en sciences, ce qui me permettrait de quitter la maison sans éveiller les soupçons, et une fois sur les lieux je trouverais bien le moyen d'étudier en théâtre.

* * *

Sur la 3e Avenue dans le quartier Limoilou à Québec, j'habite maintenant un minable deux-pièces dans une bâtisse anonyme. On y monte par un escalier de fer en colimaçon. Chaque fois que je gravis ces marches étroites et périlleuses, je me sens comme une funambule risquant sa vie sur un fil de fer. Au deuxième étage, un bon coup de pied dans le bas de la porte donne accès à mon appartement. En s'ouvrant, la porte heurte le bout du divan et il faut se glisser de côté pour entrer. Faute d'espace, il n'y a que deux meubles : le divan, qui sert aussi de lit, et une commode à quatre tiroirs sur laquelle trône fièrement mon nouveau téléviseur couleur (cadeau de Mamie). Quelqu'un a eu la brillante idée d'installer les toilettes derrière une persienne, afin qu'on puisse regarder la télé de son siège. Juste à côté, le même génie de la construction a placé une douche qui crache principalement de l'eau froide. Plus loin, c'est la « cuisine », où l'on trouve un évier, une plaque électrique pour cuisiner, une table en coin et trois chaises. Il y a bien un vieux radiateur sur pattes, mais il est incapable de réchauffer ce logement. Les nuits de grands froids, je dors habillée, et le matin je hurle quand mes pieds touchent le carrelage fendillé et gelé. Le plus difficile, c'est d'établir un budget mensuel réaliste. Les derniers jours du mois, je dois me rabattre sur les choses « bourratives », comme les grosses conserves de soupe aux pois. J'en divise une en deux et elle me dure deux jours. La paix au ventre, je parviens à étudier et parfois même à réviser mes textes de théâtre. En quittant l'Abitibi, je les avais soigneusement glissés dans mes valises dans l'espoir de les présenter en audition, mais voilà que le temps, le froid et la faim occasionnelle font pâlir mon rêve un peu plus chaque jour.

À Québec, tout est plus difficile que je ne l'avais prévu. Le contraste entre mes rêves et la réalité me laisse désorientée. Ma confiance naïve d'autrefois cède peu à peu la place à une désillusion totale. Je remets même mon talent en question et je commence à douter de mes chances de pratiquer un jour l'art dramatique. Le jour où les professeurs déclenchent une grève générale, j'en profite pour abandonner mes études. Je veux passer à autre chose !

« Qu'est-ce que t'as fait aujourd'hui ? » À six heures trente, tous les soirs, c'est l'éternelle question qui retentit à mon oreille. Mon père me téléphone de son bureau pour affirmer son autorité. Incapable de lui exprimer ouvertement ma colère, je me contente de répliquer sur un ton neutre : « J'ai cherché du travail. » De sa voix la plus désagréable, il me lance : « Arrête de chercher, pis trouve ! » Malgré la distance qui nous sépare, je sens sa surveillance constante, son regard critique et sa mainmise sur tout ce que je fais. En même temps, j'éprouve le sentiment étrange qu'il veut que j'apprenne à me débrouiller seule pour me libérer de son emprise. Dans ma tête, tout est si confus !

Un nouveau monde

Je passais mes journées à parcourir les rues et les centres commerciaux pour déposer mon curriculum vitæ dans les boutiques et les restaurants. Un certain vendredi soir, alors que j'attendais l'autobus pour rentrer à Limoilou, quelque chose m'a poussée à lever les yeux vers une enseigne en bois qui se balançait à la porte d'un immeuble. Le Ballon Rouge ! Je connaissais cet endroit, puisque Normand m'en avait longuement parlé. Selon lui, c'était « le bar » de Québec, où se réunissaient tous ceux qui ressemblaient à Ziggy. Mais il m'avait prévenue : n'entrait pas là qui voulait ! Sur ce, l'autobus est arrivé. Je suis montée à bord en me promettant de revenir bientôt sur les lieux.

Le samedi suivant, j'ai cru vivre le plus grand jour de ma vie tellement j'étais excitée d'aller au Ballon Rouge. Une amie m'accompagnait, et je me rappelle encore nos fous rires et nos pas pressés sur les trottoirs. Devant le bar, nous nous sommes heurtées à une longue file d'attente qui piétinait impatiemment devant la porte. Trente minutes plus tard, notre tour est venu !

Pour pouvoir entrer au Ballon Rouge, il fallait se conformer à un petit rituel palpitant, comme si nous avions affaire à un bar clandestin. Il fallait cogner deux coups à la porte, reculer d'un pas et nous placer sous la lumière pour que le portier puisse nous voir. Lorsque la porte s'ouvrait, nous avions l'incroyable impression d'être admis dans une société secrète ! L'endroit était exigu, mais certains soirs une centaine de personnes pouvaient s'y entasser. Une fois qu'on réussissait à se faufiler dans la foule dense, le monde de Ziggy Stardust était à nous !

La première fois que j'ai mis les pieds dans cette boîte de nuit, je marchais en apesanteur, avec l'impression de passer de l'ombre à la lumière ! Dans mes veines circulait une énergie nouvelle, comme si j'avais eu une autre personnalité. Je n'étais plus une petite fille incertaine, mais une jeune femme sûre d'elle et déterminée. Vers trois heures cette nuit-là, je suis repartie avec l'assurance de m'être trouvée au meilleur endroit, au plus grand moment de ma vie.

Solde final

Cette année-là, mes parents ont fait leur premier voyage en Europe. Ma mère, inquiète de me laisser à Québec sans le sou, a persuadé mon père de m'envoyer de l'argent (l'équivalent d'un peu plus de trois mois de loyer) pour que je puisse subvenir à mes besoins si je ne trouvais pas d'emploi avant leur retour. Heureusement, le jeudi suivant leur départ, on m'a convoquée à un entretien d'embauche pour un poste de « conseillère en mode », titre qui, selon la chic propriétaire de la boutique, faisait beaucoup plus joli que « vendeuse ». La dame m'a aussi appris que la « maison » proposait en exclusivité de grandes collections de couturiers européens et qu'elle bénéficiait d'une « clientèle privilégiée » (j'en ai déduit que cela voulait dire « snob »). Étonnée de voir qu'une jeune fille de l'Abitibi en connaissait autant sur la mode parisienne, elle m'a engagée ! Sitôt rentrée chez moi, j'ai téléphoné à Mamie pour lui annoncer la bonne nouvelle. Elle était très fière de moi.

Ma nouvelle patronne m'a dit que j'aurais ma première paye seulement trois semaines plus tard. En attendant, il me fallait me serrer la ceinture. Heureusement que j'avais l'argent de mes parents. Le lendemain matin, j'étais « conseillère en mode » et je me familiarisais avec les pratiques de la « maison ». En franchissant le seuil de cette boutique, on avait l'impression d'entrer dans une bulle de verre et tous nos sens étaient conquis. Nos pieds frôlaient une épaisse moquette saumon, une douce musique classique flottait en sourdine, un délicieux parfum embaumait l'atmosphère, et dans les allées, bien exposées sur des cintres en acajou, on pouvait admirer les dernières créations des plus grands couturiers de l'heure. Le moindre article valait une petite fortune et lorsqu'on s'en approchait, on pouvait lire : S.V.P., NE PAS TOUCHER. VEUILLEZ DEMANDER L'ASSISTANCE D'UNE CONSEILLÈRE. Au fond de la boutique se trouvaient trois salons d'essayage où l'éclairage tamisé avait été savamment étudié pour avantager le teint et flatter les silhouettes que reflétaient les miroirs. J'en étais très impressionnée !

Lorsque je travaillais, je surveillais particulièrement mon apparence, mon attitude et mon langage. Postée au beau milieu de la boutique, j'attendais patiemment les clientes. Lorsqu'elles poussaient la porte, une cloche tintait agréablement. Je les accueillais poliment et me faisais discrète tandis qu'elles examinaient la marchandise. Mais dès l'instant où elles avaient besoin d'aide, j'apparaissais comme par miracle pour les instruire des notions de base de l'élégance apprises auprès de Mamie : « Savez-vous que le marine est souvent plus élégant que le noir ? » ; « Je vous conseille de porter ce vêtement chatoyant avec des escarpins de cuir mat » ; « N'attendez pas trop longtemps, car après le 30 août le blanc ne se porte plus. »

Un vendredi soir, alors que la boutique était déserte, je m'ennuyais à mourir. La veille, la propriétaire avait mis en solde certains vêtements et j'en ai profité pour aller jeter un coup d'œil dans cette section. C'est alors que je suis tombée sur une robe signée Yves Saint Laurent. Oh ! *My God !* « C'est de la haute, très haute couture ! » comme disait Mamie. Pour obtenir cette teinte extraordinaire, le créateur avait dû monter en étages des voiles et des voiles de mousseline de soie, d'organdi et d'organza, comme la nature sait le faire en superposant les pétales des fleurs. Grâce à sa coupe d'une élégance intemporelle, on pourrait porter longtemps cette robe sublime. Perdue dans mes pensées, je l'ai plaquée contre mon corps pour en vérifier la taille. J'étais stupéfaite : cette robe avait été taillée sur mesure pour moi ! Et elle était en solde. Son nouveau prix équivalait à peu près au montant que m'avait laissé mes parents. Dans mon sac à main, j'avais justement l'enveloppe contenant l'argent. Soudain, sans trop savoir comment, je me suis retrouvée face à un miroir, déployant la robe devant moi. « Mon Dieu ! Qu'elle est belle ! » Une petite voix tentait de me protéger : « Si tu claques trois mois de loyer pour cette robe, t'es pas mieux que morte ! Range-la tout de suite ! » Complètement envoûtée par ce vêtement, je n'ai rien entendu. Comme dans un film tournant au ralenti, j'ai ôté délicatement la robe du cintre et je suis entrée dans un salon d'essayage en me disant : « Je vais l'enfiler une seconde, juste pour voir si elle me va bien. Ensuite, je le jure, je la replacerai sur son cintre. Je ne suis tout de même pas écervelée au point d'acheter une robe de ce prix ! »

Je l'ai achetée !... Sitôt rentrée à la maison, j'ai tout de suite voulu la rendre, et c'est à ce moment que j'ai vu l'étiquette rouge au bout d'une manche qui annonçait : SOLDE FINAL. Cela signifiait que je ne pouvais plus rapporter cette robe à la boutique contre remboursement, et je me suis alors rendu compte du caractère irrémédiable de cet achat impulsif. Jamais je n'ai pu fermer l'œil cette nuit-là. J'avais dépensé l'argent de trois mois de loyer et je tentais désespérément de trouver un moyen de me sortir de ce pétrin. Ce n'est qu'au petit matin que l'idée m'est venue d'appeler Mamie. C'était la seule personne au monde qui pouvait comprendre ce geste insensé. Peu après, je lui téléphonais pour lui expliquer la situation. Elle voulait bien m'aider, mais n'avait pas les moyens de compenser entièrement cette folle dépense. J'ai donc dû faire appel à ma mère qui m'a fait secrètement parvenir la différence.

Un mois plus tard, la robe Yves Saint Laurent s'est retrouvée dans le fond de ma penderie, entre de vieux jeans, dénuée de tout pouvoir de séduction. Contrairement à ce que j'espérais, la fabuleuse robe n'a jamais transformé ma vie. En fait, le « bonheur » de la posséder avait été des plus éphémères. Entre-temps, j'étais déjà torturée par d'autres tentations qui mettraient bientôt mon existence en péril.

États d'âme

J'ai toujours fait preuve d'une assiduité exemplaire à la boutique, mais c'était l'unique domaine de ma vie où je montrais une telle constance. Pour le reste, c'était une autre histoire; j'avais du mal à suivre un horaire stable et un rythme régulier.

Je sortais pratiquement tous les week-ends avec mes amis. Nous faisions le tour des boîtes de nuit où les filles ressemblaient à des garçons et où les garçons se révélaient plus gracieux que les plus féminines d'entre nous. J'adorais ce monde de contradictions. Je trouvais le mélange des genres rafraîchissant et captivant. Je voulais tout expérimenter, tout connaître, et j'étais éblouie par la diversité des gens. La vie m'apprenait à ne pas avoir peur des différences et j'éprouvais le sentiment d'être libre et bien dans ma peau.

* * *

« Je te préviens. Si ton père apprend que tu fréquentes des homosexuels, ça ne passera pas ! » Au téléphone, ma mère et moi réglions quelques détails au sujet de ma prochaine visite à la maison. D'un commun accord, nous avons décidé de taire cet aspect de ma vie. J'ai pris le train le soir même pour l'Abitibi, priant pour que les choses se passent bien entre mon père et moi.

Au bout d'un voyage de quatorze heures, j'étais enfin chez nous. Ma sœur Claude était seule à la maison et mes parents étaient à l'aréna. Depuis que mon jeune frère jouait au hockey, ils assistaient à tous ses matchs. Un peu plus tard, la porte d'entrée s'est ouverte avec fracas et je me suis retrouvée face à mon père. C'est à peine s'il m'a regardée. Ma mère se tenait derrière lui et dans son regard j'ai compris qu'elle ne voulait pas de drame. Pour lui faire plaisir, j'ai dit bonjour à mon père qui m'a répondu par un grognement.

Le lendemain, de nouveau, il m'a ignorée toute la journée. J'étais sur le point de passer un commentaire désobligeant lorsque ma mère, une fois de plus, m'a demandé de ne pas le provoquer. « Lorsque ton père se fâche, c'est très mauvais pour sa tension artérielle. Il pourrait faire une crise de cœur. »

Ce soir-là, couchée dans mon ancienne chambre, je réfléchissais. J'avais dix-sept ans. Ma vie entière n'avait été qu'un immense et perpétuel effort pour plaire à cet homme qui ne m'aimait pas. Dans ce cas, je ne l'aimerais plus moi non plus ! Terminé ! Et soudain j'ai senti gronder en moi une puissante énergie. J'avais l'impression d'être un train que rien ne pouvait arrêter.

Une étiquette

Rentrée à Québec, j'ai vu mon cercle d'amis s'agrandir. Je connaissais maintenant des gens de tous les milieux : artistes, coiffeurs, maquilleurs, chanteurs, comédiens, gens d'affaires, et illustres inconnus comme moi. Chaque soir, nous nous retrouvions dans une boîte de nuit pour danser, bavarder et rire jusqu'à l'aube. Jeunes, sans malice et sans défense, nous ne faisions de mal à personne et nous nous imaginions, pauvres naïfs, que cela durerait toujours ! Lors d'une belle soirée d'été, tout a changé.

Ce soir-là, comme tous les samedis, nous nous rendions dans notre boîte de nuit préférée. Nous marchions sur le trottoir en nous bousculant un peu et en nous taquinant joyeusement, quand une voiture nous a frôlés de si près que l'un de nous a presque été renversé ! Encore chancelant, mon ami se remettait à peine du choc quand le conducteur a hurlé dans notre direction : « Tapettes ! Tassez-vous du chemin, sacrament ! » À ces mots, des passants ont ricané.

Est-ce à partir de ce soir-là que j'ai eu des indices de mon orientation sexuelle ? Que je suis passée en mode survie ? Je ne le sais pas. J'ai toutefois la certitude que, à ce moment-là, j'ai cessé de vivre librement. Ce mépris a réveillé la honte qui sommeillait en moi, étouffant le peu d'estime que j'éprouvais envers moi-même.

Le lendemain matin, je me suis réveillée avec l'étrange impression d'avoir changé durant la nuit. Dans mon corps, il y avait *une autre fille*, complètement différente de celle qui s'était mise au lit la veille. Une nouvelle personne plus froide et plus méfiante avait pris sa place.

Le lundi matin, mon corps est allé travailler à la boutique, mais ma tête était ailleurs.

Refuge temporaire

Ça y est ! Ma valise est bouclée ! Cinq sous-vêtements, quatre t-shirts, deux jeans, un maillot de bain, une paire de sandales, deux livres et le chapelet porte-bonheur que m'a donné Mamie composent mon arsenal de voyage. Je suis prête à prendre la route pour Provincetown, Massachusetts, U.S.A. La veille, une amie m'avait invitée à me joindre à elle pour une escapade au bord de la mer. Évidemment, je n'avais pas été difficile à convaincre et j'avais immédiatement téléphoné à la boutique pour dire à la patronne que je ne rentrerais pas travailler le lendemain, ni le week-end suivant.

La carte routière dépliée sur les genoux, j'agis comme copilote. Puisque nous aurons à parcourir 675 km jusqu'à Cape Cod, je suggère qu'on se rende à Boston par l'autoroute, pour ensuite emprunter la 6A. D'après les indications que je lis au dos du plan, cette route panoramique nous permettra d'admirer l'océan, les dunes et les plages de la côte est américaine. J'explique à ma compagne que Provincetown, fondée au XVIIIe siècle, abritait au XIXe siècle une importante communauté portugaise. Aujourd'hui, les quelque 3000 habitants sont envahis par des milliers de touristes durant l'été. On dit que des gens du monde entier viennent y admirer les levers de soleil sur l'Atlantique. C'est aussi un des rares lieux où la diversité n'est pas à l'honneur, puisque la quasi-totalité de la population est homosexuelle.

Dans l'après-midi, nous arrivons à « P-town », comme l'appellent les « locaux », par Commercial Street en bord de mer. Dès que l'auto s'arrête et que le moteur s'éteint, je mets le pied au sol avec le sentiment de débarquer dans mon pays d'adoption. Mon cœur s'emballe, il bat la chamade : j'ai retrouvé ma terre natale ! Je suis enfin chez moi !

Quelques minutes plus tard, nous repérons notre auberge, le White Wind Inn. Construite en 1845 comme demeure principale d'un capitaine de bateau, la maison semble sortir tout droit d'un film de pirates. À notre arrivée, on nous annonce que nos chambres ne seront prêtes que vers quinze heures. Ne voulant perdre aucune minute de notre précieux temps, nous déposons nos valises et partons à la conquête de ce village réputé. Avec ses maisons à pignons peintes de jolies couleurs éclatantes, ses petits recoins, ses cours pleines de fleurs, ses minuscules trottoirs, ses ruelles dérobées, ses boutiques sophistiquées et ses restaurants raffinés, P-town ressemble étrangement à un dessin d'enfant. Dès les premiers pas, je suis tombée follement amoureuse des lieux.

Une heure plus tard, nous entrons dans un café, mais je suis incapable de rien manger. Déjà, j'ai les sens totalement comblés par le magnifique paysage et l'odeur de la mer. J'éprouve un contentement nouveau. Les peurs, les inquiétudes et les angoisses des dernières semaines se sont volatilisées pour faire place à une profonde plénitude.

Après une journée à déambuler dans le village, nous rentrons tôt à l'auberge, épuisées mais heureuses. Ce soir-là, je me dis que j'aimerais vivre dans un endroit merveilleux comme celui-là et je caresse doucement ce rêve en m'endormant. Au réveil, je me rends compte qu'il ne me reste que trois jours à passer à Provincetown, et cette idée m'est insupportable.

* * *

Samedi matin, nous partons avec tout ce qu'il faut pour ne pas avoir à revenir à l'auberge avant la nuit. Après les croissants et le café chaud du petit déjeuner, nous sommes en route vers la plage où je me baignerai enfin dans la mer pour la première fois. Devant cette immensité, j'ai le souffle coupé ! Ne sachant pas bien nager, je m'avance timidement dans l'eau. Lorsque la première vague me frappe, je recule.

Nous sommes à Herring Cove. Avec ses parasols de toutes les couleurs, son mélange de touristes et de gens du coin, la plage ressemble à un petit village. À notre droite, de jeunes hommes sont étendus sur le sable. À gauche, des femmes sont allongées sur des chaises longues. Il est à peine dix heures et déjà la musique disco résonne à fond la caisse ! Pendant que mon amie et moi marchons pour nous tailler une place parmi les corps bronzés, des parfums de crèmes et d'huiles solaires au coco nous titillent les narines. Vers la fin de l'après-midi, le temps se gâte. Un orage éclate et nous courons nous abriter de la pluie dans l'auto.

Quelques minutes plus tard, nous arrivons au célèbre resto-bar Boatslip pour le *tea dance*. Pas moins de deux cents personnes, entassées les unes contre les autres, dansent sans retenue au son d'une musique disco. De la terrasse, nous contemplons le coucher du soleil, après quoi nous faisons la tournée des galeries d'art et des boutiques jusqu'à vingt et une heures.

Ce soir-là, nous visitons un bar lesbien, le célèbre Pied Piper. Cette boîte de nuit de réputation internationale accueille un mélange cosmopolite de touristes, d'artistes et de gens de la place qui dansent follement. J'observe la foule avec étonnement lorsque Misty, une blonde américaine qui boit une bière à côté de moi, m'entraîne au centre de la piste de danse. Me sentant rougir, j'hésite à la regarder, mais j'aime son sourire sincère et sa manière de danser en remuant la tête. Mon anglais n'est pas fameux, mais j'arrive tout de même à échanger quelques mots avec elle tout au long de la soirée. J'apprends qu'elle vit à Provincetown et qu'elle travaille dans un restaurant depuis deux ans. Bien qu'elle ait dix ans de plus que moi, je trouve qu'elle fait beaucoup plus jeune que son âge. Lorsque le bar ferme ses portes à une heure du matin, Misty me raccompagne à l'auberge. Nous nous assoyons sur les marches du grand perron et discutons pendant plusieurs heures. Complètement épuisées, nous nous quittons sur un baiser et une longue étreinte. Je sens la vie qui recommence à circuler librement dans mes veines.

Ce soir-là, je n'arrive pas à fermer l'œil. Un sentiment étrange chasse mon sommeil et me tourmente. Je ne veux certes pas gaspiller ma vie en vendant des robes hors de prix à une clientèle fantôme, mais il est impensable que je m'installe aux États-Unis sans argent, sans papiers et sans parler couramment anglais.

Lundi matin, sept heures... Alors que ma compagne de voyage s'apprête à ranger mes valises dans la voiture, je lui annonce mon intention de prolonger mon séjour. J'ai compris que, pour le moment, nulle part ailleurs je ne peux vivre librement et en harmonie avec ce que je suis. Après avoir encaissé le coup, mon amie me propose généreusement de sous-louer mon appartement et d'entreposer mes affaires chez elle. Nous nous séparons là-dessus et peu après, le matin même, j'emménage dans une toute petite chambre dans la rue Bradford, à quelques minutes de la plage. Je défais mes bagages, m'installe sommairement, puis je sors faire quelques achats. J'éprouve un sentiment nouveau. J'ai l'impression de vivre ma toute première année d'existence ! Ici commence le récit de ma vie ! Je respire par moi-même. Enfin !

Confusion des genres

En rentrant à ma chambre ce soir-là, je fais la rencontre de James, un jeune homme merveilleux aux traits si délicats que tout le monde le croit de sexe féminin. Or, qualifier Jamie de fille, c'est le flatter ! Il adore quand on se méprend sur son identité. Son physique avantageux plaît autant à la gent féminine que masculine, et il aime jouer sur cette ambiguïté. Quand on l'appelle *Miss*, un sourire illumine son visage, il baisse le regard avec une fausse timidité et bat gracieusement des cils pour se rendre encore plus attachant. Dès les premiers instants de notre rencontre dans l'escalier de la maison de chambres, nous devenons les meilleurs amis du monde.

Le soir même, Jamie me donne une leçon de beauté. Bien qu'il ne se maquille jamais, il manie les brosses et les pinceaux avec art. Il m'enseigne comment doubler et même tripler les couches de mascara sans former de petits grumeaux au bout des cils, comment appliquer un fond de teint pour créer des zones d'ombre sous les joues, et comment marier les fards à paupières de diverses couleurs pour sublimer mon regard. N'approuvant pas l'usage du rouge à lèvres, il n'a rien à me montrer à ce sujet.

Le matin suivant, je me lève très tôt pour aller chercher du travail, alors que Jamie fait la grasse matinée. Il ne travaillera pas ce jour-là, ni le lendemain, jamais, puisqu'il bénéficie d'un héritage familial. Quant à moi, il ne me reste qu'une cinquantaine de dollars en poche. Si je n'arrive pas à trouver un emploi dans les prochains jours, je devrai rentrer au Canada.

En fin d'après-midi, après avoir proposé mes services dans les boutiques et les restaurants, je rejoins Jamie chez Spiritus Pizza pour manger une bouchée. Nous partons ensuite marcher, cramponnés l'un à l'autre comme des amis inséparables. Pendant nos promenades, Jamie devient mon professeur d'anglais, déterminé à faire disparaître mon accent québécois afin que je puisse dénicher du travail plus facilement. Mais autre chose entrave mes démarches : je n'ai aucun document officiel qui m'autorise à résider aux États-Unis.

Un après-midi, alors que je suis prête à tout abandonner et à faire mes valises pour rentrer au Québec, Jamie arrive avec une idée géniale. Même si mon anglais est atroce, je pourrais selon lui travailler dans un bar. « *Vodka in French and vodka in English is said exactly the same way !* » dit-il d'un ton triomphant. Lorsque j'objecte que je suis dans l'illégalité, il se dit convaincu que cela n'effraiera pas la propriétaire du Pied Piper.

Dès le lendemain matin, Jamie m'obtient un entretien avec cette dame. Une fois sur place, je constate que le mot « dame » est peut-être un peu fort ! Pamela, qui veut qu'on l'appelle Pam, est originaire d'Italie. Et du haut de ses cinq pieds elle affiche un lesbianisme bien affirmé.

La propriétaire du plus célèbre club féminin de la côte est des États-Unis se révèle un personnage plus grand que nature. Sous son regard, on sent tout de suite qu'il vaut mieux se tenir droit. Dès les premiers instants de mon entrevue, Pam, qui aime défier la loi, décide de me donner une chance. À l'annonce de mon embauche, Jamie est fou de joie ! Le soir même, je commence à travailler au Pied Piper qui joue la carte du bar-restaurant à l'heure du lunch, mais se transforme en club de danse en soirée. À l'occasion, on accueille aussi les garçons, puisqu'on y présente des spectacles de leurs chanteuses préférées, comme Eartha Kitt et Liza Minnelli, mais aussi des revues musicales de « personnificateurs » féminins, comme les célèbres Craig Russell et Jimmy James.

Pendant ce temps, je continue de fréquenter Misty et j'en apprends un peu plus sur elle. Née à Baltimore, elle s'appelait Marian à la naissance, mais on l'avait rebaptisée en raison du film *Play Misty for Me*. Sa mère était décédée très jeune d'un cancer et son père, qui s'était remarié, l'avait placée dans un foyer. Elle rêvait de devenir avocate, mais, faute de moyens, elle avait dû subvenir à ses besoins dès l'âge de quatorze ans. Elle avait pratiqué mille et un métiers avant d'arriver à Provincetown, où elle avait décidé de s'établir. Depuis, elle était serveuse dans un restaurant, mais elle rêvait toujours d'aller à l'université. Une histoire comme la sienne peut paraître banale, mais on sentait que cette femme avait dû faire preuve d'un cran du diable pour s'en sortir. Je l'aimais bien, mais je m'inquiétais aussi de la voir ainsi enfiler les verres de vodka. En tête-à-tête, en groupe au restaurant ou en dansant dans un bar, Misty pouvait engloutir trois ou quatre *drinks* pendant que je n'en buvais pas même la moitié d'un. Ayant grandi dans un milieu où l'alcool avait causé des dommages, je ne pouvais ignorer ce signal d'alarme. Et puis, un soir où elle s'est trouvée titubante, chancelante et la bouche sèche, c'en était trop pour moi ! J'ai mis fin à notre liaison.

Mon travail m'occupait maintenant six jours par semaine, de dix-huit heures à une heure du matin, ce qui me permettait d'avoir tous mes après-midi libres pour être avec Jamie. J'ai vite senti que Pam gardait sur moi un regard « parental » bienveillant. Flattée d'être sa « préférée », j'en profitais pour essayer de l'épater en travaillant comme elle, ce qui veut dire que je devais démontrer une endurance exceptionnelle devant les innombrables tâches à accomplir. Du matin au soir, Pam était un véritable bourreau de travail qui s'assumait, ne tolérant autour d'elle que ceux qui pouvaient bosser dur. J'ai des défauts, mais je ne suis pas paresseuse. Pour me témoigner son affection, Pam ajoutait régulièrement des heures supplémentaires à mon horaire, ce qui augmentait mon salaire. Elle m'apportait des repas chauds, s'informait de mes fréquentations et s'assurait que je prenais bien soin de moi. De mon côté, j'apprenais aussi à mieux la connaître.

Pam jouissait d'une intelligence fine et bien aiguisée, et rien ne lui échappait, mais cela pouvait rendre difficiles, voire désagréables, ses relations sociales. Certains jours, elle affichait vraiment un sale tempérament et seuls une demi-douzaine de verres de Gold Tequila pouvaient faire craquer son armure. Par sa dureté avec ses employés et parfois même envers les clients, elle donnait l'impression de ne pas avoir besoin d'être aimée et ne semblait jamais se soucier de ce qu'on pouvait dire à son sujet. Si Pam avait été un homme, elle aurait fait l'armée et en un rien de temps aurait été promue au grade de générale.

Sous haute tension

J'entamais ma deuxième année à Provincetown. Je ne pouvais imaginer meilleur endroit au monde pour vivre ma vingtaine. Le jour, je marchais sur la plage avec mes chiens, je faisais du vélo dans les dunes, je dégustais des cafés sur les terrasses avec des amis. Quand j'étais en congé, j'assistais régulièrement à des spectacles et je visitais les galeries d'art. Au travail, je parlais de mieux en mieux anglais, je discutais avec les « locaux » et avec les touristes qui venaient de partout. Rien, absolument rien n'annonçait la plongée vertigineuse qui se préparait.

C'était un soir d'août, une dixième journée de travail consécutive. Épuisée par toutes ces heures supplémentaires, je me sentais incapable de la moindre réflexion. La musique assourdissante, le bruit des verres qui s'entrechoquent, les flashs aveuglants de la discothèque, tout assaillait mes sens. Derrière le long comptoir du bar, je courais d'un bout à l'autre pour servir les nombreux clients qui manifestaient leur impatience. Je versais l'alcool mécaniquement, en m'efforçant de rester concentrée. Au milieu de la soirée, alors que j'avais un instant de répit, un habitué m'a fait signe de venir à lui. Il s'est alors penché à mon oreille pour m'offrir un « remontant ». Sans même attendre ma réponse, il a tiré de la poche de sa chemise un petit sac de plastique qui renfermait une fine poudre blanche. Il l'a secoué vigoureusement pour faire descendre la poudre au fond, plantant dans mes yeux le regard à la fois charismatique et tyrannique des êtres impulsifs. Je me sentais confusément en danger. J'ai entendu un « *No, thank you* » sortir de ma bouche et l'homme m'a tourné le dos.

J'ai repris mon poste derrière le comptoir, assez fière d'avoir montré suffisamment de retenue pour me maîtriser. Toutefois, la curiosité s'infiltrait doucement en moi. Le lendemain soir, cet homme est revenu au bar et j'en ai profité pour le questionner au sujet de sa poudre magique. Je voulais savoir « comment on faisait », avec la naïveté de ceux qui sont tentés par l'expérience, mais n'osent passer à l'action. Il a soupiré, comme s'il trouvait ma question idiote, mais il m'a tout de même expliqué patiemment le rituel de la cocaïne. Il fallait d'abord se munir d'un petit miroir, d'une courte paille et d'une lame de rasoir. L'étape suivante était délicate, car il s'agissait de retirer un peu de poudre du sac à l'aide d'une petite cuillère (le bout d'une clé pouvait aussi faire l'affaire, a-t-il dit) et la déposer sur le miroir. Ensuite, on immobilisait le miroir d'une main, pendant que de l'autre on formait à sa surface de parfaites lignes blanches de poudre à l'aide de la lame de rasoir. J'avais l'impression qu'il fallait avoir la dextérité d'un chirurgien pour ne pas rater son coup. La dernière étape consistait à se glisser une courte paille dans une narine, à boucher l'autre d'un doigt, et à inspirer la poudre avec force pour qu'elle passe du nez à la gorge. Vraiment ? Vraiment ! Je n'en revenais pas. Cela me semblait tellement compliqué ! L'homme m'a aussi dit que, même si cette poudre blanche coûtait très cher, sa qualité variait et pouvait parfois même être douteuse. Croyant que j'avais tout compris, ce qui n'était pas le cas, il a ajouté que, pour obtenir de la cocaïne de la meilleure qualité, il fallait avoir un bon réseau de contacts. Le voyant gonfler le torse, j'en ai déduit qu'il voulait parler… de lui. Soulagée que son cours prenne fin, je suis retournée à mon travail et j'ai continué à servir des cocktails.

Paraît-il qu'à notre dernier souffle, on voit toute sa vie défiler devant soi. Moi, ce soir-là, c'est mon avenir au complet qui s'est déroulé sous mes yeux !

Une histoire d'amour

Vers la fin de cette deuxième année aux États-Unis, j'ai rencontré une femme exceptionnelle. Docteure en éducation, Lana était une fougueuse Italienne à l'abondante chevelure noire et bouclée. Elle était aussi une bonne amie de Pam qui la considérait un peu comme sa petite sœur. Lana vivait à Cambridge et travaillait à Boston. Elle était de onze ans mon aînée et m'intimidait à tel point que je ne savais comment agir en sa présence. Dotée d'un caractère révolutionnaire, elle affûtait son homosexualité comme d'autres affûtent un poignard. Elle s'enflammait quand elle parlait de politique, d'économie, de religion ou d'amour. Libre et sans complexes, elle avait eu un grave accident de voiture dans la vingtaine et en était restée défigurée. Après de nombreuses chirurgies esthétiques, Lana s'en était tirée avec une fine cicatrice en travers de la figure, mais cela ne l'empêchait pas de pénétrer dans une pièce comme si elle avait été la plus belle femme du monde. Sa confiance m'épatait !

Lana savait aussi se montrer déconcertante. Parfois sérieuse dans ses propos ou attentive aux autres, elle pouvait aussi faire preuve d'un certain sens de l'humour ou réagir comme une enfant. Quand quelque chose lui plaisait, elle mettait son entourage au courant par ses exclamations enthousiastes et exubérantes. Je ressentais une telle complicité avec elle que j'ai toujours cru que nous avions été sœurs dans une autre vie. Plus tard, notre histoire d'amour se métamorphoserait en une belle et grande amitié qui confirmerait cette impression, et au moment où j'écris ces lignes, Lana compte encore pour moi autant qu'un membre de ma famille.

Au bout de quelques mois de fréquentation, Lana et moi emménagions ensemble sous l'œil bienveillant de Pam. Nous avions loué un bel appartement avec vue splendide sur la mer. Puisque Lana avait déjà un setter anglais, et moi trois labradors, nous nous sommes retrouvées avec quatre gros chiens. J'adorais ça !

Un sentiment de plénitude s'installait en moi. J'avais tout pour être heureuse : je travaillais dans un endroit excitant, j'y rencontrais des touristes du monde entier, je gagnais beaucoup d'argent et j'étais amoureuse. La seule ombre au tableau était que Lana devait conserver son poste à l'université, puisqu'elle avait signé un contrat de quatre ans, ce qui l'obligeait à être à Boston quatre jours par semaine. J'aurais souhaité que ce soit différent, mais j'ai dû me résigner et accepter que Lana ne soit à la maison que pour deux ou trois jours, le week-end. La plupart du temps, elle arrivait à Provincetown le vendredi soir et repartait pour Boston en fin d'après-midi le dimanche.

D'avril à septembre, les touristes abondent à Cape Cod et mon horaire de travail ne me laissait pas une seule minute pour m'ennuyer. Je m'occupais aussi de nos quatre chiens. Je passais les matinées à les brosser, à les nourrir et à les promener au bord de la mer. J'entretenais notre appartement et j'essayais de mener une vie normale, sans savoir ce que cela signifiait réellement. Je vivais à tâtons, et quand Lana était absente j'avais du mal à organiser mes journées. Je mangeais à des heures irrégulières, je me couchais tard même si je devais me lever tôt le lendemain. Je n'avais pas la discipline nécessaire pour structurer ma vie.

Quand Lana était à la maison, c'était tout le contraire. Je me sentais en sécurité. Sa présence tissait autour de moi un cocon qui me collait à la peau et me protégeait. Quand elle repartait, je me mettais à penser à la poudre miracle du client du bar. Dans la noirceur de mon esprit, l'explication du client du bar avait semé une graine qui s'était mise à germer. Deux semaines plus tard, juste avant d'aspirer ma toute première ligne de cocaïne, je me suis arrêtée pour réfléchir au geste que j'allais commettre. Mais, j'ai choisi de continuer.

Vide et vertige

Autour de moi, tout vibrait. Un subtil amalgame de lourdeur et de légèreté s'installait dans mon corps, dans ma tête. Je ne ressentais ni fatigue, ni vide, ni angoisse. J'aimais cette sensation euphorisante. J'aimais qu'il n'y ait ni hallucinations, ni tremblements, ni coups d'éclat. J'aimais aussi qu'elle ne laisse aucune trace sur ma peau et qu'elle m'accorde le loisir de travailler autant, sans éprouver de surmenage. La seule chose que je déplorais, c'était que cette sensation soit si éphémère.

Amère déception de ce côté-là... Une heure après, tout était à recommencer... et à recommencer... indéfiniment. En raison de la brièveté de l'effet, je ne me suis pas contentée longtemps de doses homéopathiques. En moins de six mois, j'ai doublé ma consommation de cocaïne. J'avais l'impression que je pouvais en absorber d'importantes quantités sans que rien ne change dans mon apparence. J'entretenais des fantasmes et des illusions qui me faisaient croire que j'avais les commandes bien en main. Cette prétention m'aidait à faire taire ma culpabilité. Chaque fois que je glissais la paille dans mon nez, je me racontais des histoires que je prenais pour la réalité.

J'étais si déconnectée que je me persuadais que la cocaïne me rendait plus performante au travail, plus sociable en groupe et plus créative. Je passais des nuits entières à noircir les pages d'un grand cahier noir. Je composais des poèmes et j'écrivais des scénarios parsemés de personnages compliqués aux prises avec leurs déchirements intérieurs. Bientôt, je ne ressentais plus la solitude. La cocaïne l'avait comblée.

* * *

Lorsque je ne travaillais pas, je m'isolais. Ma vie ressemblait de plus en plus à un désert. Ma soif s'intensifiait et la cocaïne me faisait miroiter des oasis. Désespérée, je m'y précipitais. Avec chaque dose, ma soif augmentait et j'étais aveuglée par ce sentiment impérieux d'en vouloir toujours plus. Ma consommation quotidienne m'occupait désormais à temps plein. La dépendance est une pieuvre. Elle vous attire tranquillement vers elle pour vous étouffer de ses tentacules. Rapidement, elle a anéanti en moi toute forme de liberté. Engagée sur une pente descendante, je filais à toute allure, tête première, vers un mur de béton.

Zone de démolition

L'été venu, Lana a obtenu trois mois de congé sans solde. Ce qui aurait dû être un grand bonheur dans ma vie s'est transformé peu à peu en cauchemar. La drogue avait commencé à changer mon caractère et le calvaire s'amplifiait de jour en jour. Il me fallait trouver des excuses, puis les renouveler, pour m'échapper quelques heures sans éveiller les soupçons.

Si je consommais à la maison, mon côté obsessif et mon caractère autoritaire prenaient le dessus et mettaient Lana à rude épreuve. Je lui donnais des ordres, ce qui la rebutait. Quand nous sortions avec des amis, je lui coupais parfois la parole ou je gardais le silence, deux attitudes qui lui déplaisaient profondément. Elle me jetait des regards remplis de colère et je regrettais aussitôt mon attitude, mais c'était plus fort que moi. J'étais prisonnière d'une spirale de réactions négatives.

La distance s'installait dans notre couple. Je passais souvent la nuit debout, sous prétexte que je souhaitais écrire, alors que je prenais de la cocaïne. Le lendemain, j'allais travailler de peine et de misère. Lana a fini par se douter de quelque chose, mais elle fermait les yeux et s'évadait dans le travail. Je voulais crier pour l'avertir que notre relation agonisait, que notre amour se mourait, mais j'en étais incapable.

Ma vie se compliquait. J'étais souvent en retard au travail de cinq, dix, trente minutes. Ou bien je n'avais pas dormi de la nuit, ou bien j'oubliais de me réveiller. J'inventais des histoires pour me justifier. Un jour, j'ai dit à Pam que je souffrais d'anémie, mais elle n'était pas dupe. Un soir que le bar était bondé et que j'étais encore en retard, elle m'attendait les bras croisés sur la poitrine. Je me suis faufilée derrière le comptoir et me suis précipitée vers les clients. En fin de soirée, Pam m'a présenté un ultimatum. La prochaine fois que je serais en retard, elle me foutrait à la porte ! Je m'en voulais tant de la trahir et de la décevoir ainsi, mais je savais maintenant comment étouffer cette culpabilité.

À la fin d'octobre à Provincetown, les touristes se volatilisent et les résidents rangent les meubles de jardin et s'enferment pour l'hiver. Cet automne-là, pour me faire pardonner tous mes retards, j'ai aidé Pam à fermer le bar-restaurant. Il fallait recouvrir les meubles et les comptoirs de grands draps blancs et entreposer les bouteilles d'alcool au grenier. Pam, qui souffrait maintenant d'arthrite aux genoux, a décidé d'aller passer la saison morte en Floride avec sa famille. Jamie, de son côté, s'est inscrit dans une école de coiffure de Boston. Après leurs départs, j'ai senti la solitude qui se refermait sur moi.

Tomber de haut

En novembre, Lana m'a annoncé qu'elle avait accepté un autre contrat à la pige et je l'ai suppliée de changer d'idée. Je pressentais que si elle quittait la maison pour de plus longues périodes, je m'enfoncerais irrémédiablement. Nous nous sommes disputées. Égoïstement, je tentais de la rendre responsable de nos problèmes. Je me lamentais de toujours avoir à l'attendre. Je me plaignais du temps froid, du manque d'activités et de mon isolement en son absence. Elle m'a promis de faire des allers-retours plus souvent, m'a incitée à me reposer, mais je ne l'écoutais plus. J'avais les yeux brouillés de larmes. Funambule oscillant sur un fil de fer, je priais pour sortir de cet enfer, mais en même temps je désirais m'y perdre.

La semaine, pendant que Lana était à Boston, je glissais dans les ténèbres. Je ne remontais à la lumière que le vendredi soir, quand j'entendais son auto rouler sur le chemin de gravier. Je me secouais pour recouvrer mes sens, soulagée de la savoir de nouveau à mes côtés. Mais dès son arrivée, j'éprouvais aussi la terreur d'être démasquée. Ma condition devenait de plus en plus difficile à dissimuler, à maîtriser et à supporter. Je plongeais dans un univers de mensonges et de faux-fuyants, et garder ce masque durant trois jours exigeait une énergie immense. Parfois, prétextant la fatigue ou quelque malaise, je refusais d'accompagner Lana hors de la maison. D'ailleurs je grelottais toujours et j'augmentais le chauffage, tandis qu'elle disait crever de chaleur dans cette maison. L'heure des repas était un moment critique, car je n'avais jamais faim et Lana devait manger seule les plats cuisinés pour deux. La nuit m'offrait parfois un peu de répit. Je me blottissais contre Lana et m'accrochais à elle. Je l'aimais, mais j'étais sous l'emprise d'un mal incontrôlable, vorace et destructeur. J'étais sur le point de tout perdre, je le savais, et une douleur sourde me saisissait le cœur. J'avais froid, tellement froid…

Le début de la fin

Peu à peu, sous l'effet de la drogue, l'esprit divorce du corps, comme si ses actes ne le concernaient plus. On se retrouve coupé de soi. La vie est un espace qu'on occupe partiellement avant de mourir.

Un jour, je me suis réveillée dans une autre réalité, celle des dépendants. J'étais allongée sur le canapé, refusant d'y croire, mais c'était en train de m'arriver: mon corps souffrait, il était en manque de drogue. Même si j'avais passé la nuit à prendre de la cocaïne, il en redemandait. J'aurais voulu déchirer ma peau en lambeaux pour sortir de mon corps et m'enfuir. La journée à venir serait un enfer. Je serais écartelée entre différents états. En quelques minutes, je pouvais passer d'une agitation extrême à un abattement profond, puis basculer dans une espèce de faux sommeil, peuplé de formes monstrueuses qui m'assaillaient de toutes parts, cherchant à s'immiscer en moi. J'allais me réveiller des dizaines de fois en hurlant.

* * *

« La prochaine fois… », c'est le mantra des êtres dépendants. La prochaine fois que je vais jouer, je vais gagner ! La prochaine fois que je vais m'empiffrer, tout ira mieux ! La prochaine fois que je vais boire sera la dernière ! La prochaine fois sera plus merveilleuse que la première fois ! La prochaine fois… Or, la prochaine fois ne tient jamais sa promesse, car la liberté promise se dissout dans le désir d'en obtenir toujours davantage. Je ne disposais plus de journées complètes, ni de journées de congé. J'attendais et je songeais sans cesse à la prochaine fois.

* * *

À l'exemple de mon grand-père Glorien qui dissimulait autrefois ses bouteilles de gin, je cachais maintenant mes petits sacs de cocaïne partout dans la maison. Parfois, Lana les trouvait et en déversait le contenu dans la toilette. Je ne bronchais pas et faisais semblant de m'en ficher, mais je bouillais de rage intérieurement. L'instant suivant, j'éclatais de rire !

Mes sentiments prenaient des proportions démesurées par rapport aux événements qui les suscitaient. Mes réactions étaient de plus en plus excessives, si bien que je pouvais devenir hystérique pour un oui ou pour un non. Dans un seul après-midi, je valsais entre la surexcitation paranoïaque et la dépression profonde. Je n'étais plus que l'ombre de moi-même, mais malgré ma déchéance je niais tout. En dépit d'une maigreur inquiétante, de mes mains tremblantes, de ma voix rauque, de mes saignements de nez, de mes cheveux secs qui tombaient anormalement et de mes yeux aux cernes mauves, j'étais persuadée que rien dans mon apparence ne trahissait ma dépendance à la cocaïne.

Le monde des dépendants

Dans le monde des dépendants, les relations humaines sont différentes. Il n'y a aucun mépris entre nous, mais il n'y a aucun respect non plus. Malgré nos différences, quand on se rencontre, on se reconnaît. Dans cet univers dur, cruel et artificiel, tous sont bienvenus : les faibles, les manipulateurs, les fêtards, les reclus, les alcooliques, les dépressifs, les excessifs, les anorexiques, les boulimiques, les débiles légers, les schizophrènes, les voleurs, les taulards. Bref, tout le monde est admis, sans exception. Dans ce monde où chacun survit grâce à la lutte, au mensonge et à la trahison, chaque rencontre est déstabilisante, « fragilisante », voire dangereuse. L'agressivité, l'hostilité et la violence font loi. Quelques-uns y laisseront leur vie ; d'autres s'en sortiront, mais ils en seront à jamais marqués. On a beau s'exposer les uns aux autres dans nos activités les plus intimes, on vit tous dans une extrême solitude.

Pour survivre, il faut apprendre à s'endurcir et à ne jamais s'apitoyer sur rien ni personne. Chaque fois qu'on a mal, il faut se taire et refouler ses émotions. Dépendance équivaut à souffrance, et lorsqu'on consomme, la souffrance devient la normalité ! Le petit confort personnel de tous et chacun devient secondaire. Toute forme d'apitoiement est considérée comme une faiblesse et tout signe de compassion, comme une injure, voire une trahison. On n'a ni le temps d'être triste ni le droit d'avoir peur. Chaque jour nous réserve tant de coups et de blessures qu'il faut porter une armure pour se protéger.

Consommer nous pousse au dédoublement de personnalité. On doit être à la fois sociable et sauvage. Sociable, car il faut bien acheter sa drogue à quelqu'un; sauvage, puisque, une fois qu'on a la drogue, pas question de la partager avec quiconque. On est parfois lâche, parfois courageux. Lâche, puisque la dépendance nous dépouille de toute dignité ; et courageux car, l'effet de la drogue étant de courte durée, on doit constamment trouver la « force » nécessaire pour s'en procurer et recommencer.

La fin

Je me suis réveillée au beau milieu de l'après-midi, en plein cauchemar. Le mince fil qui me retenait encore à la vie menaçait de se rompre à tout instant. Jamais je n'avais été si mal dans ma peau. Je faisais de la fièvre, j'avais la bouche sèche, et une masse brûlante, dans ma narine droite, m'empêchait de respirer.

Soudain, on a cogné à la porte. C'était un « ami de consommation » qui me rendait visite et qui a tout de suite reconnu mon état. Selon lui, je souffrais d'une inflammation des fosses nasales doublée d'une probable perforation de la paroi droite. Il m'a dit que je ne pourrais plus inhaler de cocaïne. Mais ce n'est pas parce que le corps est presque détruit que la dépendance cesse. La dépendance persiste ! Elle s'acharne sur lui. Elle insiste pour que le mental trouve rapidement une solution de rechange.

L'« ami » en question m'a alors enseigné la technique appelée *free base*. Cette technique consiste à faire chauffer la poudre afin d'absorber par la bouche les vapeurs produites par sublimation. Avec cette effroyable méthode, j'avais l'impression de me décomposer vivante. En peu de temps la vie m'est apparue dure et laide, alors que la mort me semblait réellement belle. Devant l'impossibilité de m'en sortir, j'ai prié pour y laisser ma peau.

Quelques jours plus tard, ma prière avait été entendue. Le matin du 12 mars 1980, je me suis réveillée dans des douleurs inimaginables. Est-ce la peur ou la foi qui m'a poussée ce jour-là à me rendre à la clinique ? Je ne sais pas, mais j'ai trouvé la force de m'habiller, d'appeler un taxi et de sortir de la maison. Mon esprit s'est éclairci à ce moment-là et le choix s'est imposé avec évidence: ou j'arrêtais ou je mourais.

* * *

Le soleil brille dans un ciel dégagé. La fenêtre du cabinet du médecin est grande ouverte. Dehors, les oiseaux gazouillent et au loin un chien jappe, tandis que je cherche mon oxygène. Quand le médecin apparaît, je ne respire presque plus. Pendant qu'il m'examine, je ne sais plus si je rêve ou si je le supplie vraiment de me sauver. Il me demande de pencher la tête vers l'arrière et il glisse un instrument métallique dans mon nez. La douleur est si intense que je me crois grugée de l'intérieur par le mal. Quelques minutes plus tard, j'apprends que le diagnostic de mon «ami» était bon: je souffre d'une inflammation et d'une perforation de la cloison nasale. Le médecin rédige une ordonnance et me réfère à un spécialiste. «Cette fois, vous avez eu beaucoup de chance, mais la prochaine fois...» Avant qu'il finisse sa phrase, je réponds qu'il n'y aura pas de prochaine fois.

Remonter à la surface

Après être allée jusqu'au bout de mes quêtes passionnelles, j'avais touché le fond et j'en remontais les mains vides. J'avais franchi tant de barrières et enfreint de nombreux interdits... à présent j'allais devoir réparer les pots cassés. En rentrant à l'appartement, j'ai dormi quelques heures, puis j'ai pris une douche et mangé une bouchée. Ensuite, armée de tout mon courage, j'ai téléphoné à Lana. Je lui ai tout avoué, absolument tout, dans les moindres détails: ma dépendance à la cocaïne, les dettes que j'avais contractées, ma visite à la clinique. Elle a sauté dans sa voiture et deux heures plus tard elle était devant moi. Nous avons beaucoup parlé et beaucoup pleuré. Dehors, la lumière commençait à baisser. Par la grande fenêtre du salon, j'ai vu le soleil se coucher dans la baie de Cape Cod. Depuis des mois, je vivais sans avoir conscience des levers et des couchers de soleil. J'avais manqué tant de choses!

Le lendemain matin, encore chancelante, j'ai accepté l'argent que Lana m'offrait pour me libérer de mes «créanciers». Puis elle m'a proposé de sous-louer notre appartement, de donner les chiens à un couple d'amies qui les adoraient et en prendraient grand soin, et de me reconduire en Abitibi. Il n'y avait pas d'autre solution. Le soir même, elle a téléphoné à mes parents pour les prévenir de mon arrivée. J'ai quitté P-town comme on quitte une pièce après avoir éteint la lumière derrière soi, sans me retourner et sans regret.

* * *

Nous sommes arrivées à Senneterre vers trois heures de l'après-midi. En me voyant si maigre, ma mère, visiblement bouleversée, s'est mise à tourner en rond dans la cuisine. Je restais figée à la porte, pendant que Lana rentrait mes bagages. Mon père, lui, m'attendait au salon. Lana m'a poussée doucement dans le dos pour que j'aille vers lui.

Même si tout cela remonte à plus de trente ans, je revis cette scène comme si j'y étais: calé dans son gros fauteuil à bascule, mon père m'a fait signe de m'asseoir sur la chaise devant lui. Je n'oublierai jamais le regard qu'il a posé sur moi ce jour-là. Il avait les yeux bouffis de ceux qui ont pleuré toute une nuit. Je me rappelle même le ton de sa voix, une voix que je ne lui connaissais pas. Je me souviens du moment précis où il s'est avancé pour poser sa main sur la mienne. « Ça ne va pas bien, hein ? » Dans sa question, il n'y avait ni reproche, ni ironie, ni mépris. C'était simplement la voix d'un père qui parle à sa fille. J'étais complètement chavirée et j'ai remué la tête pour lui faire signe que non. Rien de plus. Juste non. Cela a suffi pour que mon père fonde en pleurs.

« Toute ma vie j'ai dû me battre pour ne pas succomber à l'alcoolisme, comme mon père. Je ne suis pas certain d'avoir réussi, mais toi tu peux ! Tu es plus forte que moi. Tu l'as toujours été. Nicole, tu vas t'en sortir, tu es capable. »

Il m'avait appelée Nicole. En l'entendant prononcer mon nom avec tant de douceur, un miracle s'est produit. J'ai voulu me lever, mais il l'a fait avant moi et m'a prise dans ses bras. J'avais toujours attendu ce geste d'amour, et, même s'il n'a duré que quelques secondes, il m'a donné le courage d'amorcer un long, très long processus de guérison.

Cimenter mes failles

« Mon Dieu, donnez-moi la sérénité d'accepter les choses que je ne puis changer, le courage de changer ce que je peux, et la sagesse de faire la différence. »

Je me suis retrouvée dans un groupe de soutien où je récitais la belle et puissante prière de la sérénité. Des mois durant, autour de moi s'affaireraient des anges humains qui allaient tour à tour m'héberger, me soigner, me nourrir et m'aider à me remettre sur pied. Pendant ce temps, je traverserais des tempêtes d'émotions, de douleurs physiques et de souffrances morales. Mais j'étais si bien entourée que cela me donnait le courage d'avancer. Petit à petit, même si j'étais encore fragile, je voyais la lumière au bout du tunnel. Je sortais du noir.

J'habitais rue Fullum, dans l'est de Montréal. Lorraine, une amie, y possédait un grand appartement, où j'occupais une chambre qu'elle avait généreusement mise à ma disposition, le temps de me refaire une santé. Puisque j'avais tout laissé derrière moi, sauf quelques vêtements, mes parents sont venus de l'Abitibi pour m'aider à aménager ma chambre.

C'était une journée suffocante de juillet. La veille, ma mère avait fait les magasins pour trouver un bon lit et quelques meubles, et mon père avait acheté de la peinture et du papier peint pour décorer mon nouvel espace. L'endroit n'était pas climatisé et le soleil surchauffait la pièce. Je lavais le plancher pendant que mon père, juché sur l'escabeau et suant à grosses gouttes, appliquait minutieusement le papier peint sur les murs. Ma mère, une grosse éponge humide dans les mains, lissait les bandes avec soin. De temps à autre, un « tabarnac » retentissait dans la pièce. Au bout de quelques heures, le travail était terminé. Mon père avait retrouvé sa bonne humeur et ma mère était fière. Quant à moi, je promenais mes regards autour de la pièce, heureuse de ma nouvelle vie.

Nous avons ensuite commandé un repas au restaurant et nous avons mangé tous les trois assis par terre, les assiettes sur nos genoux. Le soir était tombé, il faisait plus frais, et quelque chose d'incroyablement touchant émanait de cette scène. Je me rendais compte que mes parents avaient choisi d'être là pour m'aider à reconstruire ma vie. Pour la première fois depuis très longtemps nous nous retrouvions dans ma chambre, sans cris, ni blâmes, ni pleurs. J'espérais que ce moment marquerait un nouveau départ pour nous trois. Mais il restait une ombre au tableau…

Mon père avait toujours souhaité que mon orientation sexuelle ne soit qu'une sorte de crise d'adolescence, une folie passagère. Une fois ma vie stabilisée, il espérait que je ferais le « bon choix » et que je reviendrais sur le « droit chemin ». Maintes fois, je m'étais questionnée à ce sujet, mais j'avais la certitude d'être lesbienne. Je ne pouvais m'imaginer vivre autrement. Ce soir-là, mon père a fait allusion à ce sujet. J'avais toujours évité d'aborder la question avec lui, mais l'heure était venue de clarifier la situation.

« Papa, ce n'est pas un choix. Je suis née comme ça. Je suis née homosexuelle, comme d'autres naissent grands ou petits, avec des cheveux noirs ou blonds. Et je peux soit vivre avec mon identité sexuelle, soit la réprimer, soit vivre une double vie. J'ai choisi d'accepter et d'assumer ce que je suis, que cela te plaise ou non. »

Pendant que je prononçais ces derniers mots, il ne m'écoutait déjà plus. En entendant le mot « homosexuelle », il avait posé son assiette sur le sol, s'était levé et m'avait tourné le dos. Anxieuse, ma mère s'est agitée quelque peu, puis elle a penché la tête silencieusement sur son repas. L'atmosphère était soudain oppressante. Sans rien dire, mon père a quitté l'appartement en claquant la porte. Avant d'aller le rejoindre, ma mère a fait un geste de la main signifiant que les choses finiraient par s'arranger. Une fois de plus, elle se trompait. Mon père n'approuverait jamais mon « choix » de vie. Pour lui, j'avais délibérément choisi de vivre de manière « anormale » dans l'intention de lui faire honte. J'ai longtemps espéré qu'il finirait par m'accepter comme je suis, mais j'ai dû apprendre à vivre sans son approbation.

Le chaînon manquant

Dualité

Enfant, à maintes reprises j'ai prié ardemment pour que mon père meure. Je m'imaginais que sa disparition ne m'affecterait pas, si bien que rien ne m'avait préparée à la tristesse que je ressentirais après son départ. Mon père est mort à cinquante-deux ans, un beau jour de juillet 1984, d'un accident vasculaire cérébral. Il a quitté cette terre exactement comme il l'avait toujours souhaité: subitement et sans souffrir, avec ma mère à ses côtés.

En le voyant couché dans son cercueil, je me suis demandé s'il n'avait pas été pressé de partir. J'ai même pensé que son départ était sa façon à lui de me donner la permission de vivre. De son vivant, il n'avait pas su m'aimer, non parce qu'il ne le voulait pas, mais parce qu'il ne savait pas comment s'y prendre ! Je me suis penchée sur lui et je l'ai embrassé sur le front. Malgré ses défauts, ses convictions inébranlables et ses idées bien arrêtées, il allait me manquer. Par son exemple, il m'avait enseigné la loyauté, la rigueur et l'honnêteté. Pour cela, je lui serai toujours reconnaissante.

* * *

Un jour, alors que ma mère triait les effets personnels de mon père, elle a découvert son journal personnel.

« Lis-le. Il parle souvent de toi », me dit-elle.

Je me suis assise par terre dans le salon, j'ai pris une profonde inspiration et j'ai ouvert le cahier à la première page. J'ai appris des tas de choses sur mon père, par exemple qu'il était profondément amoureux de ma mère, qu'il a amèrement souffert de l'alcoolisme de son père, qu'il aimait ses enfants et qu'il était fier d'eux.

Mais, contre toute attente, c'est la phrase écrite de sa main le 3 juillet 1979, au moment même où je traversais la période la plus sombre de ma vie, qui m'a saisie avec le plus de force :

« J'aimerais être capable de dire à Nicole que c'est d'elle dont je m'ennuie plus que tout au monde et que si elle ne va pas bien, elle peut toujours revenir à la maison. »

En refermant le cahier, j'ai fermé les yeux pendant longtemps. Lorsque je les ouvris de nouveau, je savais que quelques mots venaient d'effacer des années de souffrance.

* * *

Après l'enterrement, ma mère a sombré dans une profonde dépression. Elle ne mangeait plus, passait toute la journée à dormir et, lorsqu'elle arrivait à se lever, elle errait dans la maison comme une âme en peine.

Le mois suivant, le médecin nous a dit qu'il serait souhaitable qu'elle vende sa maison pour déménager plus près de nous. Elle ne pouvait pas continuer à vivre seule. Puisque Claude et Denis étaient mariés et avaient des enfants, c'est à moi qu'incombait la tâche de m'occuper d'elle. Du jour au lendemain, j'ai dû mettre ma vie en suspens pour vivre celle de ma mère.

J'ai d'abord pensé que cette situation serait passagère, mais j'ai vite compris que je me trompais. Nous avons emménagé à l'étage d'un duplex à Saint-Léonard. Dès lors, les problèmes se sont accumulés. Nous n'avions pas de voiture et je devais faire un long trajet en autobus, deux fois par jour, pour me rendre au travail au centre-ville de Montréal. En rentrant du bureau, je passais la soirée à déballer les bibelots et les souvenirs de mon enfance et à les disposer dans l'appartement pour que ma mère se sente chez elle. Mais rien n'y faisait. Jour après jour, elle demeurait emmurée dans un profond chagrin et semblait vivre dans un autre monde que le mien. Je ne la reconnaissais plus. Elle restait assise dans son fauteuil, à regarder dans le vide, et ne répondait même pas au téléphone quand il sonnait. Par tous les moyens, je cherchais à l'intéresser de nouveau à la vie. Je l'accompagnais à l'épicerie, je l'encourageais à accomplir certaines tâches dans l'appartement, comme se faire réchauffer un repas ou mettre en marche le lave-vaisselle ou la machine à laver. Chaque jour, j'espérais qu'elle se lierait d'amitié avec les voisins ou qu'elle rendrait visite à sa sœur qui n'habitait pas très loin, ou à ses petits-enfants. Je priais le ciel tous les soirs pour que ma mère trouve le courage de refaire sa vie.

Une fois de plus, mes prières ont été entendues. Au bout de six mois, elle est sortie d'elle-même pour aller au supermarché, et ce soir-là la table était mise lorsque je suis rentrée. Elle avait allumé la télévision et m'attendait pour servir le dîner. Quelques semaines plus tard, elle avait trouvé un emploi de vendeuse dans un grand magasin. À partir de ce jour, je l'ai vue se réveiller le matin, prendre son café en écoutant la radio, s'habiller, se maquiller et partir pour le travail, portée par une détermination si belle à voir. En rentrant le soir, elle parlait avec volubilité de sa journée, me racontait des anecdotes et mangeait avec appétit. Je constatais avec joie qu'elle reprenait goût à la vie.

Le temps passait et je continuais de vivre avec ma mère, ni heureuse ni malheureuse. Je vivais sur le pilote automatique, sans me poser trop de questions. Je travaillais, j'achetais des objets, collectionnais des choses et m'étourdissais dans des activités qui me plaisaient plus ou moins. Puis, tout a changé lorsque j'ai connu Annie. Elle terminait ses études en design de mode. Lorsque nous étions ensemble, elle m'apportait tant de lumière que les choses me semblaient plus belles et mes responsabilités moins lourdes à porter. Lorsqu'on se retrouvait ensemble, on parlait de tout, surtout de mode. On riait comme des enfants, on sortait manger au restaurant ou danser dans les boîtes de nuit.

Un jour, alors que je m'ennuyais à mourir de Mamie, nous sommes allées lui rendre visite en Abitibi. J'étais nerveuse : Annie serait la première « amoureuse » que je présenterais à ma grand-mère. Est-ce le fait que c'était une fille si attachante, si vivante, qu'elle avait un style fou ou qu'elle étudiait en mode, toujours est-il qu'Annie a conquis Mamie sur-le-champ ! Je m'émerveillais de les voir ensemble. Elles bavardaient et ricanaient comme de vieilles amies. Au moment de notre départ, Mamie m'a chuchoté qu'elle approuvait pleinement mon choix de vie !

Là où tu vas, tu es !

Je travaillais pour une compagnie d'assurances et je n'aimais pas ça, mais je gagnais bien ma vie. Un jour, pour mes vacances, je me suis jointe à un groupe de voyageurs et me suis envolée avec eux vers l'Asie. Le front appuyé contre le hublot, j'ai vu la ville de Montréal disparaître au loin. J'avais toute la nuit devant moi pour faire le point sur ma vie, alors je me suis calée dans mon siège et j'ai fermé les yeux pour passer en revue mes cinq dernières années. J'avais aidé ma mère à se relever, ma relation avec Annie était terminée et mon impétuosité revenait me hanter. Je menais mon existence en mode combat et j'avais recommencé à fuir. Au bureau, j'enfilais chaque jour un masque de «normalité» et je mettais en scène une «représentation» de ma personne. Je m'inventais aussi un passé plus honorable. Quand je parlais de mon séjour aux États-Unis, je ne citais que les événements que je jugeais acceptables et je n'évoquais rien qui aurait pu nuire à mon image. Je passais sous silence non seulement ma toxicomanie, mais aussi mon orientation sexuelle. Je connaissais pourtant le prix à payer pour refouler ainsi des secrets dans le noir de la conscience. Je savais qu'une dépendance inavouée peut renaître de ses cendres et exploser au grand jour au moment où l'on s'y attend le moins! Quoi qu'il en soit, j'ai choisi d'ignorer tout ce que je savais.

Dans l'autocar qui filait vers Bangkok, je me sentais légère. J'avais l'impression que, grâce à ce voyage, j'allais me retrouver. Une fois à l'hôtel, j'ai pris une douche, défait mes bagages, et je me suis allongée sur le lit. Soudain, j'ai aperçu un petit livre sur la table de chevet, *Les enseignements du Bouddha*. Au bas de la jaquette, on pouvait lire: «Cet ouvrage vous est offert gracieusement.» Je l'ai feuilleté distraitement, jusqu'à ce que je tombe sur ce paragraphe:

« Comme tu ne crois pas en toi, tu fais tes bagages et pars en visite chez les autres à la recherche d'aventures, de mystères, de prises de conscience, de maîtres, d'instructeurs. Tu penses que là est la recherche de l'ultime et tu en fais ta religion. Mais tu es comme un coureur aveugle. Plus tu cours, plus tu t'éloignes de qui tu es ! »

J'ai relu plusieurs fois ce passage qui semblait avoir été écrit pour moi ! Ensuite, j'ai fermé le livre et l'ai replacé sur la table de chevet. Je me suis endormie en me promettant de réfléchir à tout cela plus tard.

Après une bonne nuit de sommeil, j'avais refait le plein d'énergie et j'ai rejoint les membres de mon groupe. Ce voyage organisé réunissait des gens d'un peu partout, mais la plupart visitaient l'Asie pour la première fois. Ce jour-là, nous nous sommes rendus dans un temple bouddhiste et notre arrivée a coïncidé avec une fête religieuse. Comme le veut la coutume, nous avons laissé nos chaussures à la porte. Le temple était immense, aussi vaste que l'église de mon enfance. Des centaines de chandelles brûlaient au sol, des fumées d'encens ondulaient dans l'air et se mêlaient harmonieusement au parfum des fleurs roses et orangées qui flottaient à la surface de grands bols d'eau. Des fruits et des arrangements floraux tombaient en grappes généreuses au pied du Bouddha. Des gens étaient assis, d'autres debout, mais tous psalmodiaient en chœur un mantra à la mélodie si douce qu'il a fait jaillir des larmes de mes yeux. Ces beaux visages m'apaisaient et je pouvais y lire la sérénité tranquille de ceux qui ont trouvé l'essentiel. Soudain, un souvenir m'a ramenée des années en arrière et j'ai revu le visage paisible des religieuses recueillies dans le silence et la prière. En fermant les yeux, j'ai senti à quel point ces moments de recueillement me manquaient. Comment en vient-on à cultiver une telle vie intérieure ? Je l'ignorais. C'est alors que je me suis souvenue de la phrase que j'avais lue la veille dans le petit livre : « Mais tu es comme un coureur aveugle. Plus tu cours, plus tu t'éloignes de qui tu es ! »

J'aurais voulu que les gens continuent de chanter pour me réconforter, mais tout était redevenu silencieux autour de moi. Assise par terre dans ce temple, je me parlais doucement à moi-même: « Arrête de te fuir. Tu pourrais courir ainsi jusqu'à ton dernier souffle, te rendre au bout de la terre et faire le tour du monde, tu ne pourras jamais te fuir. »

Cette réflexion avait éveillé quelque chose en moi, mais pour l'instant j'étais incapable de la pousser plus loin. Dehors, c'était déjà la brunante. Au cours des jours suivants, nous nous sommes arrêtés dans plusieurs villes et villages, et partout je voyais des gens qui méditaient, assis sur les trottoirs, parmi les bruits de la ville et dans les marchés. J'aurais tant aimé, moi aussi, m'arrêter pour mettre ma vie entre parenthèses.

Les jours passaient et vers la fin du voyage j'ai senti se réveiller en moi l'inquiétude de retourner à ma vie. Durant mon séjour en Thaïlande, j'avais ressenti un désir intense, un besoin vibrant de vivre autrement, mais je n'avais aucune idée par où commencer. J'aurais tout donné pour pouvoir rester en Asie pour toujours, mais je savais bien que cette soif de spiritualité cachait une forme de fuite déguisée. Le jour de notre départ, j'ai glissé *Les enseignements du Bouddha* dans mes bagages. J'espérais que ce livre m'apprendrait à vivre sans fuir, sans maquiller ni magnifier la réalité. Le cœur inquiet, mais la tête remplie de bonnes intentions, j'ai repris l'avion pour Montréal.

Séjour à l'ombre

Je nageais en pleine contradiction ! D'une part, je recherchais la sérénité d'une vie plus spirituelle, mais d'autre part j'avais encore la fâcheuse tendance à vivre au bord du précipice. Quelques semaines en Asie n'ont pas suffi à briser ce conditionnement, si bien que, dès mon retour à la maison, mes quêtes passionnelles m'attendaient bien sagement. Soudain, ma vie m'est apparue des plus ennuyeuses ! Mon existence manquait de saveur, de couleur et de mouvement. Une fois de plus, je me suis surprise à rêver à Provincetown. J'avais une folle envie d'y retourner quelque temps, histoire de me ressourcer. Mon cœur me chuchotait pourtant que je faisais fausse route. Je l'entendais, et pour le rassurer j'ai résisté un peu. Pas très longtemps. Finalement, j'ai décidé de plier bagage et de prendre une année sabbatique. Et j'ai bien sûr choisi le chemin qui allait me mener droit à ma perte !

* * *

Je suis de retour à P-town avec dans mes bagages le même vieux fantasme de vivre en harmonie avec moi-même. Je ne me doute pas encore que je suis sur le point de remplacer une dépendance par une autre. Enfin, si, je m'en doute, mais je choisis de nier cette évidence. Encore aujourd'hui, je suis stupéfiée par la rapidité avec laquelle les choses se sont déroulées.

À mon quatrième jour à Provincetown, je reçois une invitation à dîner de Gabrielle. Nous nous étions rencontrées quelques années auparavant, du temps où je vivais avec Lana. Elle habite là depuis de nombreuses années et possède l'une des plus grandes et des plus célèbres auberges. Au restaurant, j'apprends à mieux la connaître. C'est une femme cultivée, intelligente et fort intéressante. Entre l'apéro et le dessert, elle me raconte qu'elle a grandi dans une famille fortunée, qu'elle a étudié dans un collège privé en Suisse où elle a appris quelques mots de français. Pour m'attendrir, elle s'efforce de prononcer quelques phrases en français, çà et là. Malgré l'insistance des siens, qui voulaient qu'elle se joigne à l'entreprise familiale, elle s'était plutôt établie à Provincetown. Quelque temps après, elle avait acheté une vieille auberge pour la restaurer, et elle en avait profité pour annoncer à ses parents qu'elle était lesbienne. La nouvelle avait été dévastatrice pour sa mère, tant l'image glorieuse de la famille en était écorchée.

Ce soir-là, Gabrielle et moi nous racontons nos vies, parlons de nos rêves et de nos ambitions. J'ai des pressentiments, des avertissements me disent de ne pas forcer le destin et d'en rester là, mais j'accepte aussitôt un rendez-vous pour le lendemain. Finalement, nous nous sommes revues tous les jours. Un mois plus tard, nous n'avions plus de doute : nous étions faites l'une pour l'autre.

À la fin de l'été, je déménage chez Gabrielle et j'atterris en plein centre de sa vie, dans son décor, ses habitudes, essayant avec peine de m'y retrouver. Me voilà parachutée dans un monde dont je ne connais ni les codes ni les règles, où l'ampleur de la fortune détermine la valeur d'une personne. Croyant que cet aspect de son univers ne me concerne pas, je choisis de l'ignorer.

Gabrielle est un bourreau de travail. Pour compenser ses absences, elle se montre très généreuse et je me retrouve ensevelie sous une montagne de cadeaux. Indépendante de nature, cette situation me rend mal à l'aise, mais lorsque je lui en parle elle proteste ou fait la sourde oreille. Je me rends bientôt compte qu'elle agit ainsi avec plusieurs personnes de son entourage. Croyant ne pas pouvoir être aimée pour ce qu'elle est, elle espère pouvoir l'être pour ce qu'elle donne.

Le temps passe et nous sommes maintenant persuadées d'être follement amoureuses l'une de l'autre. À tel point qu'un jour elle m'annonce, sans crier gare, qu'elle veut m'épouser !

« Quoi ??? Jamais de la vie ! » Jamais, dans mes projets les plus fous, ma tête n'a conçu de plan semblable. L'idée ne m'a même jamais effleuré l'esprit. J'aime beaucoup trop ma liberté ! De toute façon, je n'ai jamais cru au mariage. Encore moins au mien ! Mais Gabrielle insiste, persiste et boude, habituée d'obtenir tout ce qu'elle veut. Elle m'assure que la décision m'appartient, mais continue chaque jour à me parler de mariage. Après tout, qu'est-ce que j'ai à perdre, à part moi-même ?

Pour mon malheur, le 19 novembre 1988, à 15 h 20 précisément, je me suis entendue dire « *I do* » à l'église unitarienne universaliste de Provincetown[1]. En marchant dans l'allée, devant ma mère en larmes et sous le regard incrédule de ma bonne amie Sylvie, je me suis mise à prier très fort pour ne pas avoir à regretter le serment que je venais de prononcer. En rentrant à la maison, un cadeau m'attendait : une Porsche 928 noire, décorée d'un énorme ruban blanc et portant une plaque d'immatriculation à mon nom ! J'ai failli m'écrouler de désespoir.

* * *

Après le mariage, l'adaptation à mon nouveau mode de vie a été vraiment difficile. Je détestais être « prise en charge » et je ne pouvais concevoir de vivre sans travailler. Je tentais de m'acclimater, déployant mon énergie à de multiples tâches durant la journée, mais cela ne ressemblait en rien à un vrai travail. Peu à peu, mon univers est devenu plat et s'est rétréci.

---

1. Cette Église célébrait déjà des mariages gays depuis quelques années en Californie et offrit le même « service » dès 1988 à Provincetown. Nous étions le sixième couple qui s'y mariait. Toutefois, le Massachusetts ne reconnaissait pas cette pratique, mais serait tout de même le premier État américain à légaliser le mariage homosexuel en 2004.

Un matin, au petit déjeuner, j'ai proposé à Gabrielle de lui donner un coup de main à l'auberge. Elle hésitait. J'ai insisté. Elle s'est sentie obligée d'accepter, mais dans son esprit il était clair que je ne travaillerais pas « avec elle », mais bien « pour elle ». Je concevais les choses autrement, mais les premiers temps je me pliais à ses méthodes. Après quelques mois, je commençais à penser que j'avais commis une erreur, mais, me sentant lui échapper, Gabrielle m'a offert pour Noël le cadeau de mes rêves : un caniche royal femelle, couleur chocolat ! Du coup, j'ai tout oublié ! Je l'ai baptisée Paloma, en hommage à la fille de Picasso. Cette chienne est vite devenue mon amie, ma confidente. Je la gardais à mes côtés nuit et jour, et quand elle appuyait sa tête sur mes genoux mes inquiétudes se taisaient.

Avec Paloma, j'espérais que mes journées seraient moins vides, et elles le furent pendant un certain temps. J'allais marcher de longues heures au bord de la mer avec ma chienne, mais avec le temps je suis redevenue lucide. Une fois de plus, j'avais eu beau changer de ville, de décor, de partenaire, le vide était toujours là, en moi. Pourtant, j'avais cru que cette fois serait la bonne, j'avais sincèrement tenté d'être heureuse, mais j'avais échoué.

Cette vie ne me ressemblait pas et j'étais à la limite du désespoir. La douleur a été encore plus grande quand j'ai compris que je m'étais abandonnée. Je souffrais parce que, pour être aimée, j'avais renoncé à être moi-même. Et la désillusion était encore plus amère. Que faire maintenant ? Tenir le coup, faire semblant, ou partir ? J'ai pris la décision de partir. Après avoir essayé de me convaincre de rester, Gabrielle a repris les clés de la Porsche et une heure plus tard Paloma et moi étions en route vers Montréal. Quelque chose m'y attendait. Quoi ? Je ne le savais pas.

Mourir à petit feu

J'avais le profond sentiment d'avoir échoué dans tout. J'étais amèrement déçue de la tournure des choses avec Gabrielle. La voix, celle qui traînait en moi depuis l'enfance, n'a pas perdu de temps pour m'en convaincre : « C'est ta faute ! Une fois de plus, tu as tout gâché ! » J'essayais désespérément de la faire taire. Le jour, lorsque j'étais au travail ou avec des gens, j'y parvenais, mais dès que j'étais seule et que le silence s'installait, elle sortait ses griffes et m'insultait avec véhémence. Et il y avait toujours ce trou en plein centre de mon âme, si grand que j'aurais pu m'y enfoncer et m'y perdre...

* * *

En 1989, je cohabite avec François, un ami au cœur d'or. Nous partageons un vaste appartement de l'avenue Lincoln, à quelques pas du centre-ville de Montréal. La vie suit tranquillement son cours, j'ai retroussé mes manches et repris mon travail dans les assurances. Je fréquente régulièrement les endroits les plus branchés de la ville, j'y rencontre des gens de tous les milieux : designers de mode, producteurs artistiques, chanteurs, décorateurs, restaurateurs... Je sors trop, presque tous les soirs, et je rentre très tard.

Un samedi soir, au milieu de décembre, François et moi donnons un grand dîner à la maison. L'appartement décoré pour Noël brille de mille feux et l'atmosphère s'annonce particulièrement festive. Vers dix-neuf heures trente, nos convives sont rassemblés autour de la grande table dans la salle à manger, où il y a de quoi boire en abondance. Rapidement, la fête bat son plein. Au milieu des tintements des couverts et des verres, tous bavardent et rient dans une ambiance amicale. Je ressens d'abord un léger énervement, puis une envie folle d'être ailleurs. Une heure plus tard, la tension s'accroît et devient trop vive pour moi. Il est tard, les verres ne cessent de se remplir et personne ne semble pressé de partir. Je cherche une échappatoire, une façon polie de quitter ce repas qui se prolonge bien au-delà de ce que j'avais envisagé.

J'invente une excuse pour sortir de table et trouve refuge au salon. Je referme la porte derrière moi et m'effondre sur le canapé. J'allonge les jambes pour poser les pieds sur la table basse, quand soudain mon cœur s'arrête. Devant mes yeux se trouve un miroir sur lequel on a tracé six lignes de cocaïne ! Je ne respire plus, hypnotisée par cette vision. Soudain, un pressentiment : peu importe ce que je choisirai, je ne sortirai jamais indemne de cette situation. Mon Dieu ! Après avoir parcouru ce chemin maintes et maintes fois, pourquoi continuer sur cette route qui, je le sais, mène droit en enfer ? Quels maux me tiraillent à ce point que je doive sans cesse revenir en arrière ?

Se retrouver face à une ancienne dépendance, c'est comme être devant un fauve, à l'intérieur de sa cage. À la moindre maladresse, la bête peut se ruer sur nous. Pour en sortir vivant, on doit reculer sur la pointe des pieds, très lentement et sans faire de bruit. Une fois à bonne distance, il faut s'enfuir à toutes jambes, sans jamais se retourner. C'est vital ! Ce soir-là, j'allais apprendre cette leçon à mes dépens.

Quand je repense à ce moment fatidique où j'ai inséré la paille dans mon nez, un immense désarroi m'accable. Je savais bien que j'étais sur le point de rechuter. J'aurais pu me débattre, mais l'agitation n'aurait servi à rien. En moi, quelque chose de plus fort était à l'œuvre. À la première ligne de cocaïne, tous mes vieux démons se sont réveillés... À la deuxième, je franchissais la porte du non-retour... À la troisième, je retombais en enfer... À la quatrième, je me consumais de l'intérieur... À la cinquième, je revivais chaque souffrance de mon passé... et à la sixième, j'ai senti quelque chose bouger près de moi. C'était Paloma, mon adorable chienne, qui venait de s'allonger sagement à mes pieds, attendant que je lui mette sa laisse. Elle me regardait avec ses immenses yeux bruns remplis d'une infinie tendresse. Elle m'implorait en silence pour que je me lève de ce canapé et sorte marcher avec elle. Ma vie s'est alors interrompue pendant quelques secondes... Et d'un seul coup je me suis levée et suis sortie de l'appartement avec Paloma. Derrière nous, la sixième ligne de cocaïne se trouvait toujours sur le miroir. J'allais m'en sortir, ce geste décisif en était la preuve!

Le jour se levait et on entendait au loin la sirène d'un véhicule d'urgence. Nous marchions, Paloma et moi, lentement dans les rues désertes et une fine neige tombait sur nous.

Aux premières lueurs de l'aube, lorsque nous sommes revenues à l'appartement, j'ai promis à Paloma qu'il n'y aurait plus jamais de «prochaine fois». Je venais de renaître de mes cendres. J'allais me réinventer et rebâtir ma vie comme une œuvre, afin d'en faire quelque chose de beau et de grand! À partir de ce moment-là, je n'ai plus jamais consommé de drogue ni ressenti la moindre envie de le faire.

Un certain soir d'hiver, juste avant Noël, l'amour inconditionnel de cet animal m'a sauvé la vie.

Trouver ma place

Jamais encore je ne m'étais interrogée sur les épreuves inévitables de la vie, comme la maladie, la vieillesse et la mort. Mais ma rechute, qui m'avait fait si peur, et le récent décès de Mamie contribuèrent à m'en faire prendre conscience. À la fin de sa vie, ma grand-mère ne savourait plus les joies du quotidien. Elle avait perdu son fils, son mari, sa force physique, et des trous de mémoire effaçaient ses souvenirs. Parfois, sans prévenir, des hallucinations altéraient sa réalité pour éclairer le présent avec des lueurs de son passé. Elle se croyait revenue à l'époque où elle était couturière, et elle attendait le retour de Glorien ou de mon père. On aurait dit qu'une douce folie s'était emparée du cerveau de Mamie. À quatre-vingt-quatre ans, elle s'est mise à attendre avec impatience sa « délivrance », comme elle l'appelait si bien. Elle est morte peu de temps après. Depuis lors, j'ai en permanence cette conscience, merveilleuse et terrifiante, de la fugacité de l'existence. Comme je n'ai aucune idée du temps qu'il me reste à vivre, je ne veux plus accomplir un travail qui me déplaît, ni vivre dans un endroit que je n'aime pas, ni fréquenter des gens qui ne me ressemblent pas. Ma marraine allait me manquer, et pourtant, juste après son départ, comme si elle avait prévu le coup, mon intérêt pour la mode s'est ranimé. Avant de quitter ce monde, Mamie, en cadeau d'adieu, m'avait légué sa passion.

Dès lors, je me suis mise à fréquenter les bibliothèques des collèges et des universités, à consulter des archives, à assister aux défilés. J'employais mon temps libre à parfaire mes connaissances. Lorsque je rentrais du bureau, après avoir passé la journée à transmettre des soumissions d'assurances par téléphone, je rejoignais mon grand ami Dick Walsh. Dick et moi nous étions connus à Québec, à l'époque du fameux Ballon Rouge, et il y avait une telle complicité entre nous que les gens nous croyaient souvent frère et sœur. Dick était directeur artistique et son imagination était telle qu'avec lui tout me semblait possible. Il allait me donner mes premières chances dans le métier de la mode. Un jour, j'étais assistante pour un *shooting*; le lendemain, je l'aidais à élaborer des vitrines; la semaine suivante, nous préparions des défilés de mode. J'étais à un tournant de ma vie et Dick le savait. Il m'a vivement encouragée à transcender mes peurs et à prendre mon envol. Pour cela, je lui exprimerai toujours ma profonde gratitude.

Cela dit, plus j'en apprenais sur le métier, plus mon intérêt grandissait. Je me sentais de mieux en mieux dans ma peau et l'excitation que j'éprouvais pour ma carrière naissante contribuait largement à ce bien-être. Après des années de recherches et de tâtonnements, j'avais enfin trouvé le métier qui me ressemblait le plus. J'étais maintenant officiellement pigiste dans le milieu de la mode, où je me sentais comme un poisson dans l'eau. J'avais aussi le bonheur d'occuper un poste de professeure de « styles et tendances » au collège LaSalle de Montréal, et chaque fois que je franchissais le seuil de cette prestigieuse école de mode, j'avais une pensée pour Mamie.

Au tournant de ma vie

Nous étions au début des années 1990. La mode québécoise commençait à émerger sur la scène internationale et un vent d'effervescence soufflait autour des créateurs. À cette époque, j'avais une chance inouïe : je m'étais liée d'amitié avec le créateur Denis Desro et je collaborais régulièrement avec plusieurs autres artistes, dont Jean-Claude Poitras, Marie Saint Pierre, Nadya Toto, Philippe Dubuc, Christian Chenail, Jean Airoldi, Yso, Denis Gagnon et plusieurs autres. Après mes cours, je me rendais dans leurs ateliers et rien ne pouvait me rendre plus heureuse que de me retrouver parmi les bourdonnements des machines à coudre, les rubans à mesurer, les boutons et les tissus. Je me revoyais encore, autrefois, droite comme un pieu, quand ma grand-mère me piquait avec ses épingles.

J'avais trente-trois ans, ma carrière était au beau fixe et j'habitais dans un charmant trois-pièces. Un espace lumineux entièrement peint en blanc, avec de hauts plafonds et des planchers de bois. Je m'y sentais bien et en sécurité. Dans le salon, deux magnifiques portes françaises donnaient accès à un joli balcon orné de grands paniers de fleurs. C'était l'endroit préféré de Paloma qui s'y prélassait à l'ombre l'après-midi et qui épiait le chat du voisin.

Depuis quelque temps, je faisais du jogging tous les jours. Lorsque j'atteignais mon « second souffle », je parvenais à un état de bien-être jamais ressenti auparavant. Cette activité me procurait aussi l'énergie nécessaire pour contrer de nouveaux symptômes qui m'incommodaient. De temps à autre, j'avais des nausées entre les repas, des points noirs valsaient devant mes yeux, et je ressentais une étrange lourdeur au côté droit, comme si un chat avait été couché en permanence sur moi. Parfois, ces symptômes s'intensifiaient et m'empêchaient de me concentrer, mais je continuais à les croire passagers. Et l'inquiétude a cédé la place à l'habitude.

J'avais commencé à pratiquer le yoga, seule dans mon salon. Pendant que j'exécutais les postures, je ne pensais à rien d'autre. J'avais simplement conscience de mon souffle et j'avais l'impression pour la première fois de ma vie d'habiter mon corps. J'avais aussi ressorti le livre de Bangkok et l'avais déposé sur ma table de chevet. J'en lisais quelques pages le soir avant de m'endormir. Comme un havre où un navire s'abrite de la tempête, cette lecture était mon refuge. Le matin, je méditais. Assise les jambes croisées sur mon lit, Paloma à mes côtés, je me concentrais sur ma respiration. Ces instants de pleine conscience me permettaient de prendre congé du monde chaotique de mes pensées.

Le chaînon manquant

Un soir que j'étais en visite chez ma mère, j'allais recevoir le plus grand choc de ma vie. À peine entrée dans son appartement, j'ai senti une grande nervosité chez elle. Ma mère m'a demandé de m'asseoir et j'ai compris qu'elle voulait m'annoncer quelque chose, mais elle cherchait ses mots. Une vague d'inquiétude s'est soulevée en moi et tout de suite les questions alarmantes me sont venues. Quelqu'un était mort ? Elle était malade ? Un membre de la famille avait eu un accident ? C'est alors qu'elle a prononcé ces paroles : « Il faut que je t'avoue quelque chose : tu n'es pas l'aînée de la famille. Tu as un frère. Il est né un 28 septembre lui aussi, mais un an avant toi. Ton père et moi avons dû le placer en adoption. Il s'appelle Michel et je suis décidée à le retrouver. »

Je ne comprenais pas un seul mot de ce qu'elle racontait. Est-ce qu'elle divaguait ? Était-elle retombée dans un état dépressif ? Ce n'était pas possible, cette invention du frère aîné. Pour moi, ma mère était une femme sans histoires, sans autre passé que celui que je lui connaissais ! Elle n'avait toujours été que ma mère, celle de Denis et de Claude aussi, mais de personne d'autre ! Assise en face d'elle, je la dévisageais pour m'assurer qu'elle était en pleine possession de ses moyens. Et soudain, j'ai compris qu'elle n'était pas folle du tout : elle venait plutôt de dévoiler le fameux « secret de famille », celui-là même que Mamie scellait dans le silence en collant l'index contre ses lèvres closes !

Ma mère me regardait fixement, attendant une question, une réponse, une réaction quelconque de ma part, mais j'étais incapable de prononcer le moindre son. Abasourdie, je ne savais pas si je devais être heureuse ou furieuse de cet aveu. Je tentais de mettre de l'ordre dans ma tête. Ainsi, je n'étais pas... Je n'étais plus l'aînée de cette famille... J'étais donc leur fille légitime, mais pas leur première enfant, plutôt leur deuxième... Trente-cinq années à endosser le mauvais rôle ! Joie ou déception ? Révélation ou trahison ? J'ai allumé une cigarette pour me donner le temps de réfléchir encore un peu. J'avais un frère fantôme, j'avais grandi dans son ombre, marché dans ses traces de pas imaginaires. « Où est-il ? » ai-je demandé, m'efforçant de dominer mes émotions. Elle ne le savait pas, mais elle avait entrepris des démarches pour le retrouver. Elle m'a parlé de la promesse faite à mon père de taire leur secret, mais maintenant qu'il était mort, cette promesse ne tenait plus. Elle allait tout mettre en œuvre pour revoir son fils. S'il le fallait, elle soulèverait la terre et la mettrait sens dessus dessous pour retrouver « Michel ». Elle a prononcé son prénom avec tant de tendresse que j'ai eu l'impression qu'elle tirait le spectre de mon frère du monde des morts-vivants.

Pendant des mois, contre vents et marées, ma mère s'est battue contre le système d'adoption pour faire rouvrir son dossier. Elle est même allée au bureau d'un député pour lui raconter son histoire et lui demander de l'aide. De toute ma vie, je n'avais jamais vu ma mère agir avec tant de détermination. Elle poursuivait son rêve sans relâche et je l'observais avec admiration. Avec sa résilience, elle m'apprenait à ne jamais baisser les bras devant les obstacles. Quoi qu'il arrive, si l'on croit à quelque chose, il ne faut jamais, au grand jamais abandonner.

Et finalement, un jour, elle a retrouvé Michel ! Je n'oublierai jamais le moment où elle m'a annoncé la nouvelle. Des étoiles brillaient dans ses yeux. La veille, une employée du service d'adoption lui avait donné des nouvelles de son fils. Ses parents adoptifs l'avaient rebaptisé François. Il avait grandi dans un milieu anglophone, au Nouveau-Brunswick. Il travaillait dans le domaine de la construction, était père de deux petites filles et venait de se séparer de sa femme. Ma mère avait aussi appris que Michel/François avait déjà entrepris des recherches pour retracer ses parents biologiques, mais les années avaient passé et il avait abandonné tout espoir de renouer avec eux. Ma mère rayonnait de bonheur. Son fils était vivant et, pour comble de bonheur, il avait voulu la retrouver !

Quelques jours plus tard, elle a reçu un appel du Nouveau-Brunswick. C'était mon frère. Trop bouleversée pour lui parler, elle m'a tendu l'appareil. Au bout du fil, une voix m'a ramenée brusquement en arrière. François avait la même voix que mon père. Ça m'a donné tout un coup ! Nous n'avons parlé que quelques minutes, puis j'ai promis de le rappeler bientôt et j'ai raccroché. Postée à mes côtés, ma mère trépignait d'impatience, me demandait de lui raconter notre conversation.

* * *

Nous nous étions donné rendez-vous dans le hall d'un hôtel de Fredericton, au Nouveau-Brunswick. Au premier regard, François avait la même silhouette que Denis, mais il ressemblait davantage à mon père. Il avait sa voix, ses yeux bruns, ses cheveux noirs et son menton. C'était bouleversant d'être devant un inconnu qui ressemblait tant à mon père. Nous étions frère et sœur; pour le reste, nous ne savions rien l'un de l'autre, mais quelque chose de très fort nous liait.

« Raconte-moi ta vie », m'a dit François. Nous étions au restaurant, l'un en face de l'autre. Il buvait une bière et je sirotais un café. Il me questionnait sans arrêt, voulait tout savoir. Il était très curieux, très ouvert, ce qui facilitait les confidences. Je lui ai raconté mon enfance, mes années d'adolescence et mon séjour ténébreux à Provincetown. À son tour, il m'a confié qu'il avait longtemps consommé de l'héroïne et de la cocaïne, mais qu'il était maintenant dépendant de l'alcool. Il semblait étonné d'apprendre que cette maladie faisait partie de son bagage génétique, mais en même temps cela lui donnait de l'espoir.

Trois jours plus tard, il a accepté de m'accompagner à Montréal. Je me rappellerai toujours ce jour où ma mère a serré son fils dans ses bras. Son bonheur était si intense et si palpable ! L'instant d'après, j'ai vu ma mère se métamorphoser et devenir la mère de François. Doté d'une personnalité agréable, douce et tendre, il était aussi très beau et avait un cœur d'or. Une bonté infinie émanait de lui et il réussirait rapidement à tous nous séduire. À mesure que son séjour se prolongeait, François reprenait peu à peu ses droits d'aîné.

Les mois ont passé et une forte complicité s'est établie entre ma mère et lui. Tout les poussait l'un vers l'autre. Ils se découvraient des passions communes, partageaient les mêmes intérêts, se confiaient l'un à l'autre et avaient des opinions identiques sur l'actualité, la politique et les sports. Le jour, pendant que ma mère travaillait, François dormait, cuisinait ou allait faire les courses avec son chien. Le soir, ils se racontaient leur journée. Même s'ils ne parlaient pas la même langue, ils se comprenaient très bien. Lorsque François ne trouvait pas les mots pour exprimer sa pensée, ma mère, qui n'avait jamais prononcé un mot d'anglais de sa vie, sortait son dictionnaire pour l'aider à finir ses phrases. Toutefois, en raison de son alcoolisme, sa vie sociale était limitée. Pour se tenir au courant de l'actualité, il voulait que je lui téléphone tous les jours. C'est d'ailleurs dans ces moments-là que je me sentais le plus près de lui. Notre désir de rester en contact s'exprimait à travers nos conversations téléphoniques.

Rattrapant des années de séparation, ma mère et son fils se sont liés si puissamment qu'ils vivaient presque en symbiose du matin au soir. Avec le temps, leur relation quasi exclusive nous forcerait à redéfinir la dynamique familiale. La moindre remarque désobligeante de ma part sur François pouvait dresser ma mère contre moi pendant des semaines. Bientôt, il m'a été impossible de voir ma mère sans François. Ils ne se séparaient plus, mais lorsqu'ils devaient absolument le faire, ils se téléphonaient sans arrêt.

François continuait à boire et ma mère priait chaque soir pour que la situation s'améliore et que son fils guérisse. Mais bientôt, mon frère a montré des signes de défaillance. Malade de plus en plus souvent, il devait parfois garder le lit toute la journée. Il s'est mis un jour à mettre de l'ordre dans ses affaires personnelles et à me parler souvent de sa mort. La pensée de partir sans avoir assuré l'avenir de ses filles le préoccupait terriblement. Un jour, il les a invitées à Montréal pour qu'elles fassent la connaissance de leur grand-mère. Il voulait s'assurer qu'après son départ ses filles et sa mère conserveraient de bonnes relations.

Un soir de la fin novembre, dix ans après son arrivée, alors que ma mère était en visite chez ma sœur Claude en Abitibi, François est décédé subitement. Comme la mort de mon père avant lui, son départ précipité plongerait ma mère dans un profond chagrin, dont elle n'émergerait que plusieurs années plus tard. Malgré son bref passage dans ma vie, François m'a enseigné qu'il ne faut jamais abandonner, et que, si nous avons un rêve — le sien était de retrouver sa famille biologique —, nous avons aussi la force de le réaliser. Et je l'en remercie.

Un amour pas comme les autres

23 décembre 1992. L'année va bientôt se terminer et je suis seule. Sylvana, une de mes bonnes copines, m'invite pour le réveillon du lendemain. Elle organise un dîner intime pour quelques amis proches. Le soir du 24, j'allais faire une rencontre qui changerait ma vie.

Hélène est la grande amie de Sylvana. Elle a 29 ans, six ans de moins que moi, et travaille comme directrice musicale à la télévision. Même avant les présentations, une agréable intuition me dit que nous nous connaissons déjà. Pour le repas, on me place à ses côtés. Lorsqu'elle me regarde, j'ai l'impression qu'elle fouille mon âme. Mal à l'aise, je détourne la tête, de peur qu'elle ne devine ce que je ressens. Au fil de la soirée, sans savoir pourquoi, je laisse progressivement tomber tous mes moyens de défense. Je sens mon cœur fondre comme un glaçon au soleil. De retour à la maison, Hélène habite encore mes pensées, mon cœur et mon corps. Sa voix s'infiltre dans ma mémoire et le souvenir de notre conversation me ramène constamment vers elle. Je m'endors avec la certitude que j'ai attendu cette personne toute ma vie !

Maintenant que nous vivions ensemble, je me rendais compte que je n'avais jamais été si bien dans ma peau. J'apprenais à ne plus vivre à moitié et à découvrir la vraie Nicole qui se cachait au fond de moi. Peu à peu, je me libérais de mes carapaces et je créais l'espace nécessaire pour qu'elle puisse émerger au grand jour.

Me réinventer

Arrêter le balancier

Au printemps de 1993, alors que tout renaît dehors, un agréable sentiment me permet de croire que je reviens moi aussi à la vie. Le fameux secret de famille a été révélé et je n'ai plus le fardeau de remplacer le fils manquant de mes parents. Soulagée, je peux désormais me consacrer à ma vie. Les excès du passé qui m'avaient poussée au bord du gouffre ne se répètent plus, mon sevrage est fait et mes blessures intérieures sont cicatrisées. J'entame maintenant un nouveau chapitre. J'ai rencontré le grand amour, j'exerce un métier qui me passionne, j'ai un nouveau cercle d'amis et je peux enfin profiter de la vie qui m'est destinée. Après tant de faux pas, je suis désormais sur la bonne route et je me plais à croire que je trace mon propre chemin.

Professionnellement, j'éprouve l'excitation d'une nouvelle carrière dans le monde des communications. Ma passion pour la mode est telle qu'on m'invite de plus en plus souvent dans les médias. Je découvre l'univers fascinant des plateaux de télévision et des studios de radio. L'année suivante, je m'inscris dans une école de radio et de télévision qui forme des journalistes et des animateurs. J'ai parfois du mal à concilier mon horaire de pigiste et mes études, mais je parviens à joindre les deux bouts et termine le programme avec succès. Peu de temps après, le destin intervient en ma faveur : on me propose deux chroniques à la télé, à l'émission culturelle *Flash* et aux *P'tits bonheurs de Clémence* avec Clémence DesRochers. Quelle chance !

À l'automne, on m'invite à Paris. Le voyage est organisé par des professeurs et des finissants en design de vêtements. Ces derniers participeront à un concours international de mode. J'ai toujours rêvé d'aller à Paris et j'ai l'impression d'avoir gagné à la loterie de la vie ! À mon arrivée dans la Ville Lumière, je me suis revue enfant, assise sur la galerie auprès de Mamie, feuilletant ses numéros du magazine *Mode de Paris*. Partout où je vais, je vois, je sens, je touche la mode de ma grand-mère. Je reconnais des noms, des immeubles vus des dizaines de fois en photos. Je m'arrête devant les fleurons du patrimoine français — Hermès, Céline, Louis Vuitton, Dior et les autres —, comme si j'étais en pèlerinage. Je flâne des journées entières dans les petites boutiques moins chères et plus sympathiques du boulevard Saint-Germain et de l'avenue des Champs-Élysées. Un après-midi, je découvre l'emplacement de la boutique d'Issey Miyake, ce créateur japonais reconnu dans le monde entier pour l'équilibre de ses silhouettes. Il signe une mode intemporelle qui harmonise parfaitement la forme et la fonction du vêtement. Je pousse la porte et je suis saisie par la sobriété visuelle de ce lieu si différent des autres boutiques de mode surchargées et bruyantes. On dirait que Miyake a voulu créer un endroit sacré, tellement l'atmosphère est sereine. La pièce contient tout au plus une cinquantaine de vêtements regroupés avec soin et savamment disposés dans l'espace. Malgré la rigueur absolue qui se dégage des silhouettes toutes noires, rien ne semble austère. Au contraire, tout nous incite à ralentir, à nous arrêter devant chaque vêtement, comme au musée devant la beauté muette des personnages des plus beaux tableaux. J'examine de près chaque création et il est évident qu'il ne s'agit pas là d'un travail en surface. Le designer, tel un maître, a dû consacrer de longues heures à la conception de chaque tenue. En quittant la boutique, j'ai réalisé quelque chose de plus profond, qui dépasse le monde de la mode. Pour accéder à ma véritable essence, je devais tendre vers un dépouillement semblable à l'art de Miyake. C'était sans équivoque : dorénavant, ma vie intérieure aurait autant d'importance que ma vie extérieure. Une phrase de la sagesse zen bouddhiste me revenait maintenant à l'esprit : « Arrête en toi le balancier et tu trouveras la sérénité. » Ce jour-là, j'ai résolu de maintenir désormais un juste équilibre entre l'« être » et le « paraître ».

À mon retour de Paris, je constate que ma vie est pleine à ras bord, mais je suis prête à la désencombrer. À cet égard, ma visite chez Miyake m'inspire à trouver la voie du milieu. J'apprends lentement à vivre plus simplement, avec plus de légèreté, à créer de l'espace en moi et autour de moi pour me concentrer sur l'essentiel. La vie m'y encourage extraordinairement, puisque, quelques jours plus tard, on me propose d'animer les chroniques mode et beauté à *Salut, Bonjour !*. C'est le début d'une belle et grande aventure. J'abandonne mes autres engagements pour me concentrer pleinement sur ce nouveau défi professionnel. Les lundis et mercredis, je me retrouve donc aux côtés de l'animateur Guy Mongrain pour partager mes dernières trouvailles avec le public. Concrètement, je dois démystifier le monde de la mode et de la beauté pour le rendre accessible au plus grand nombre de personnes possible. Je dois bien me préparer, car les chroniques sont chronométrées à la seconde près, et dans le contexte d'une émission en direct, le temps est précieux ! On ne peut rien répéter, rien corriger ni annuler. Je ne dispose que de cinq minutes pour livrer mon message et souvent, devant un tel défi, je repense à Miyake. Je me répète ce que j'ai appris à Paris : « Avec trop, on se perd ; avec moins, on se trouve. »

L'appel qui fragmenta ma vie

Entre ma relation amoureuse, ma vie sociale et ma carrière, j'étais tellement absorbée par mon quotidien que je n'ai jamais pensé que tout cela pouvait changer brusquement. Pourtant, le matin du 15 juillet 1996, quand la Dre Vachon m'a annoncé que j'étais atteinte d'une maladie chronique, l'hépatite C, j'ai dû mettre ma vie entre parenthèses. Mes ennuis de santé ont persisté tout l'été, celui de mes trente-huit ans. Combien de fois ai-je été tentée d'en parler à mes amis, à mes collègues ? Mais je me taisais à cause de la honte, parfois par simple manque de courage. Et plus le temps passait, plus la situation devenait difficile. Pourtant, les occasions de parler n'ont pas manqué. Maintes fois, dans la salle de maquillage de TVA, j'entendais des conversations intimes. Les gens se faisaient des confidences et dévoilaient souvent leurs secrets, mais je ne m'engageais jamais très loin. Je ne voulais pas être celle qu'on prend en pitié, la « personne malade » dont on s'informe poliment pour se donner bonne conscience. J'étais en mode survie et une seule chose comptait pour moi dorénavant : guérir !

Au cours de cette période, la vie à la maison s'est désorganisée. Le diagnostic de maladie chronique nous avait déstabilisées. Nous courions d'un rendez-vous à l'autre et chaque semaine je devais rencontrer des spécialistes: hépatologue, gastroentérologue, dermatologue, néphrologue, rhumatologue, nutritionniste... Entre-temps, je subirais une deuxième biopsie, puis une troisième. La dernière nous a révélé une autre mauvaise nouvelle. L'état de mon foie s'était dégradé, passant de la fibrose légère à la fibrose marquée, c'est-à-dire que les cicatrices à la surface de l'organe s'étaient multipliées. En se rigidifiant, ces cicatrices désorganisent la structure anatomique et fonctionnelle du foie. Et cela peut dégénérer en cancer.

Au début, j'ai tenté de tout contrôler en reprenant mon rôle de «maîtresse d'école». Je lisais tout ce qui se publiait sur les recherches pour découvrir un remède contre l'hépatite C, j'établissais mon propre plan d'attaque avec des traitements holistiques, je dressais des listes de choses à faire, je donnais des ordres à mon corps... Même si j'essayais de toutes mes forces de rester optimiste, j'ai vite été dépassée par les événements et ma vie s'est mise à descendre en spirale.

Je tournais en rond dans la maison et je n'avais plus le cœur à rien. J'ai cessé de faire du jogging avec Paloma, j'ai délaissé mes amis et, faute de concentration, je lisais beaucoup moins qu'avant. Je ne fumais plus, ne buvais jamais d'alcool, ne prenais ni tranquillisants ni somnifères. J'étais abstinente en tout! Mais j'étais une bombe à retardement. Au moindre mot, au moindre geste, je risquais de tout faire sauter!

À la fin de l'été 1996, Hélène et moi n'avions pas encore pris de vacances. Nous partagions le quotidien, mais n'arrivions plus à nous mettre d'accord comme avant. La fatigue et le stress des derniers mois pesaient sur notre couple et la tension était à couper au couteau. Et puis, un soir, alors que nous mangions silencieusement notre repas en tête-à-tête, tout a explosé. Je ne me rappelle plus ce qu'Hélène a pu dire ou faire, mais ç'a été la goutte qui a fait déborder le vase. J'ai fait une colère noire ! Jusque-là, quand l'une se fâchait, l'autre restait calme et les choses finissaient par se tasser. Mais ce soir-là, Hélène s'est emportée en même temps que moi ! De la dispute, je n'ai retenu que quelques bribes, mais je sais que des blâmes, des ressentiments et des reproches ont surgi. Il y avait beaucoup d'amertume entre nous. J'en voulais à Hélène et elle était furieuse contre moi ! À un moment donné, je me suis levée et, d'un ton de victime, j'ai reproché à Hélène de ne pas savoir ce que c'était que d'avoir toujours mal et de devoir sans cesse faire des sacrifices. À son tour, elle a bondi et m'a rétorqué que si je pensais être la seule à avoir des problèmes, je me trompais royalement, et qu'elle en avait assez de mes sautes d'humeur ! Pour finir, elle a ajouté qu'elle n'avait pas à subir mes angoisses ni à marcher sur des œufs sous prétexte que j'étais malade. Si je voulais passer le reste de ma vie à pleurer sur mon sort, libre à moi ! Sur ce, elle est montée bouder à l'étage et je suis sortie en claquant la porte !

Namasté !

Lorsque les gens me demandent comment je suis arrivée au yoga, j'aimerais tant leur répondre que j'ai été appelée ou, mieux encore, que j'ai été « choisie » entre des milliers d'adeptes, mais ce n'est pas le cas.

Après notre querelle, j'ai beaucoup réfléchi. Certes, la maladie avait bousculé beaucoup de choses dans ma vie, mais je ne voulais surtout pas devenir amère et cynique. Je ne souhaitais pas non plus vivre le reste de mes jours tiraillée entre les regrets du passé et les appréhensions du futur. J'en étais venue à la conclusion que, pour me sortir de ces comportements négatifs, je devais tenter une approche complètement différente. Cette fois, je le savais, les lectures ne suffiraient plus. J'ai pensé au yoga, mais j'avais besoin d'être guidée par un bon professeur. C'était énorme pour moi d'admettre ce fait, car j'avais toujours eu l'habitude de croire que je pouvais tout faire et tout régler par moi-même.

Le lendemain, au réveil, Hélène et moi étions déjà réconciliées. Le cœur plus léger, j'ai entrepris mes recherches dans l'annuaire, quand soudain je me suis souvenu que, quelques mois auparavant, un ami designer de mode m'avait parlé d'un certain Mark Darby. J'ai retrouvé sa carte de visite dans un de mes sacs à main et j'ai attendu une heure convenable pour l'appeler. Dès que les aiguilles de l'horloge ont indiqué neuf heures, j'ai composé le numéro de téléphone du yogi. À la quatrième sonnerie, le répondeur s'est déclenché, mais la voix était tellement faible et douce que je n'arrivais pas à comprendre le message enregistré. Au timbre, j'ai tout de même laissé mes coordonnées, mais la communication a été interrompue avant que j'aie pu transmettre au yogi mon numéro de téléphone. J'ai rappelé et au bip sonore j'ai parlé à toute vitesse, mais malgré cela j'ai encore été coupée avant la fin de mon message. J'ai sacré ! À l'époque, je supportais à peu près n'importe quelle situation, sauf celles qui demandaient de la patience. En somme, je supportais bien peu de choses. J'ai donc rappelé Mark Darby une troisième fois et j'ai parlé à la vitesse de l'éclair et j'ai enfin réussi à caser mon message. Si j'avais eu plus d'intuition, j'aurais compris que ce petit exercice de patience annonçait déjà la grande transformation à venir !

Deux jours plus tard, le yogi australien m'a rappelée pour me dire, en anglais, que je pouvais me joindre à une classe de niveau intermédiaire, le samedi à huit heures. « Huit heures du soir ? » ai-je demandé, pleine d'espoir. « *No, Saturday morning !* » Silence... Je ne savais pas si je devais me réjouir ou non. Bien sûr, j'étais heureuse d'avoir une place et je savais combien j'avais besoin d'aide, mais, en tant qu'insomniaque, une séance de yoga à une heure si matinale était une perspective plutôt déplaisante. « J'y serai », ai-je dit avec un enthousiasme forcé.

À sept heures trente-cinq le samedi suivant, je me garais devant un immeuble commercial, rue Saint-Ambroise. Sur la porte du studio, on lisait ASHTANGA YOGA. La veille, j'avais pris soin de lire un peu au sujet de cette forme de yoga. Je savais que c'était une méthode dynamique et fort vigoureuse fondée sur le « souffle réchauffant », appelé *ujjayi*, une respiration énergétique qui servait à déloger l'énergie stagnante pour revitaliser le corps. Chaque séance devait durer quatre-vingt-dix minutes, ce qui me semblait long. D'ailleurs, on recommandait cette pratique aux personnes très énergiques, et on disait qu'un débutant ou une personne malade devait plutôt opter pour une méthode de yoga moins exigeante. Naturellement, j'avais choisi d'oublier cette mise en garde...

La superficie de la pièce était plutôt réduite, mais le haut plafond la rendait vaste et spacieuse. Les murs peints dans des tons de jaune et de rouge réchauffaient les structures de béton. Au lieu des néons crus, une lampe sur pied diffusait une lumière tamisée. Au fond de la pièce étaient alignés des coussins aux motifs indiens, et juste au-dessus, des couvertures mexicaines et des tapis de yoga étaient rangés dans de petits casiers de bois. De l'encens de bonne qualité parfumait l'atmosphère. Sur un comptoir, comme simples objets décoratifs, se trouvaient un porte-encens, un vase blanc rempli de fleurs fraîchement coupées et la photo colorée d'un maître indien. J'apprendrais plus tard qu'il s'agissait de Sri Pattabhi Jois, le gourou de stars comme Madonna, Sting, Alanis Morissette, Gwyneth Paltrow, et bien d'autres.

Je m'attendais à ce que la salle soit bondée, mais nous n'étions qu'une quinzaine de personnes. Je me suis même demandé si j'étais au bon étage. Étant un brin dyslexique et ne sachant pas très bien différencier ma droite de ma gauche, je m'étais peut-être trompée dans les indications. J'étais sur le point de ressortir, quand le yogi est entré. Au moment où je l'ai aperçu, j'ai pensé que j'avais des hallucinations, car cet homme ne marchait pas, il flottait ! À chaque pas, sa tête et ses bras s'harmonisaient parfaitement aux mouvements de ses pieds. Il s'est avancé vers moi et m'a accueillie avec la politesse gracieuse de ceux qui sont bien dans leur peau, puis il m'a indiqué où ranger mon manteau et mes chaussures.

La séance allait débuter. En déroulant mon tapis, j'ai remarqué que mes mains tremblaient. Pourtant, je me sentais bien quelques instants auparavant, mais tout à coup j'étais devenue nerveuse. Darby (comme l'appelaient affectueusement ses étudiants) se déplaçait dans la pièce tout en donnant ses instructions. Pendant que nous tenions les postures, il s'arrêtait çà et là pour corriger certaines positions, tirant sur une jambe, pressant sur un dos, poussant contre des mains.

Au début, je m'en tirais assez bien, mais au bout de quinze minutes j'étais écarlate. L'enchaînement était trop rapide pour moi et le rythme du cours, trop soutenu. Mon inexpérience m'obligeait constamment à ralentir pour reprendre mon souffle. Je m'efforçais de maîtriser ma respiration — inspire, expire, inspire, expire, retient, respire, respire —, mais je ne devais pas avoir la bonne méthode. Je me suis interrompue avant de m'évanouir. J'ai retrouvé mon souffle puis j'ai repris l'exercice.

À la fin du cours, je me suis échouée sur mon tapis de yoga comme un poisson mort sur une plage. Mon tapis était mouillé et j'avais les vêtements détrempés et les cheveux collés au front. Je venais de suer toute l'eau de mon corps, mais j'étais au paradis ! Allongée au sol, complètement immobile, je me laissais envahir des pieds à la tête par une merveilleuse sensation d'euphorie. Jamais de toute ma vie je n'avais été si bien dans ma peau. Aucune drogue ne pouvait rivaliser avec ce bien-être ! Comme une enfant après un tour de manège, entre le calme et l'émerveillement, j'aurais tout donné pour que la séance recommence éternellement.

Selon la tradition, à la fin de la relaxation guidée Darby a joint les paumes devant sa poitrine et nous a salués en disant : « Namasté. » Fière d'avoir appris la veille ce mot sanskrit, j'ai répondu « namasté » à haute voix, en chœur avec les autres. Il s'agit d'une formule de politesse employée communément en Inde pour dire « bonjour » et « au revoir », mais dans sa signification plus profonde, l'expression se traduit par : « Je m'incline pour saluer le divin en vous. » Je trouvais cela très beau !

De retour à la maison, le doute a remplacé l'euphorie. J'étais si fatiguée que j'ai dû dormir trois heures d'affilée avant de retrouver l'énergie pour reprendre mes activités. Cette discipline exigeait une excellente condition physique et je pressentais que je n'étais peut-être pas suffisamment en forme pour la pratiquer. Je ne voulais surtout pas creuser mon tombeau en faisant du yoga. Plus tard, j'allais découvrir que c'est ainsi que mon corps se purifie : d'abord en transpirant abondamment pour libérer les toxines, puis en dormant pour refaire ses forces. Semaine après semaine, la même routine s'est répétée : le matin je suais à grosses gouttes sur un tapis de yoga et l'après-midi je dormais sur le canapé du salon. Chaque samedi, j'enfilais ma tenue de yoga tout en bougonnant que c'était mon dernier cours. Je n'avais aucune objection à devenir plus spirituelle, mais j'aurais préféré attendre dans une prochaine vie !

Mon mantra et moi

Au cours des mois suivants, je m'astreignais à pratiquer le yoga avec assiduité, mais sans grand espoir de voir changer les choses. Pourtant, au-delà des apparences, mon corps reprenait tranquillement des forces. Un beau matin, je me suis réveillée sans tensions musculaires, sans raideurs articulaires, sans inflammation et d'excellente humeur. J'étais incapable de dire comment le yoga avait pu accomplir tout cela, mais ça n'avait pas d'importance. J'étais émerveillée de découvrir que je pouvais être bien dans mon corps. Dès lors, j'ai commencé à prendre cette discipline au sérieux et depuis je n'ai cessé de la pratiquer.

En apparence, tout était comme avant, mais la vie me semblait différente, du moins pour l'essentiel. Le sentiment d'urgence qui m'avait poussée à vivre à cent milles à l'heure avait disparu. Je vivais désormais à un rythme plus modéré et de façon moins impérieuse. J'apprenais à lâcher prise et à être moins tranchante dans mes idées. Je découvrais avec gratitude un côté plus paisible de moi qui m'incitait à la contemplation et au silence. J'ai remarqué aussi une chose fort étonnante : lorsque je méditais, en classe ou à la maison, la « mauvaise voix », celle qui me pourchassait depuis l'enfance, ne me hantait plus. De ce fait, j'ai voulu en apprendre davantage sur la méditation.

Un matin, je suis allée m'acheter des livres sur le sujet. Premier constat : j'ai appris qu'il existe une différence entre la relaxation et la méditation. J'avais toujours confondu ces deux états. La relaxation, selon mes lectures, est une technique pour déloger les tensions physiques et mentales et pour induire un état tranquille dans le corps. La méditation favorise aussi ces bienfaits, mais elle apporte quelque chose de plus : une pleine conscience de ce qui se passe en soi et à l'extérieur de nous. En nous libérant de l'emprise de nos pensées, de nos jugements, de nos peurs, de nos attentes et de nos désirs, la méditation nous libère de l'empire du passé et de l'angoisse du futur. Moment de clarté absolue ! C'était exactement ce dont j'avais besoin !

Une semaine plus tard, assise à la table de la salle à manger, j'ai encerclé une petite annonce dans le journal. Le weekend suivant aurait lieu un atelier de trois jours de méditation transcendantale. Même si le coût pour cette séance d'introduction me semblait exorbitant, je songeais sérieusement à m'y inscrire. Comme je l'ai expliqué à Hélène plus tard dans la soirée, je n'aurais à débourser cette somme qu'une seule fois, après quoi je pourrais méditer par moi-même. Tout cela était clairement expliqué dans la publicité.

* * *

Six heures trente, un vendredi soir de novembre 1997. Je gare ma voiture sur le boulevard Saint-Laurent, tout près de l'adresse indiquée sur l'annonce. Je monte deux étages, je pousse une porte et pénètre dans une pièce presque vide. Il n'y a là que trois plantes décoratives et je me demande où va tout cet argent qu'on nous réclame, quand soudain quelqu'un me salue gentiment. C'est un jeune homme qui peut avoir vingt ans. Il porte un turban blanc et des pantalons bouffants. Quelques minutes plus tard, après avoir payé les frais d'inscription, je le suis vers une autre salle, immense, mais tout aussi vide. Quatre personnes sont assises ensemble : deux hommes, un adolescent et une femme qui semble être sa mère. Soudain, une pensée angoissante me traverse l'esprit : « Et si c'était une secte religieuse ? »

Le garçon au turban déroule un écran, éteint les lumières et actionne un projecteur. On entend d'abord une douce musique, puis quelques images inspirantes apparaissent sur l'écran. Ensuite, une personnalité du monde artistique québécois apparaît en gros plan. Elle nous vante les bienfaits de cette forme de méditation, nous informe de la rapidité de ses progrès et de l'impact majeur que cette pratique a eu sur sa vie personnelle et professionnelle. La réclame qui suit parle d'une retraite de quatre jours et explique comment faire des dons à cette organisation. La pub se termine sur l'image d'un gourou à la barbe blanche, longue et pointue — image qui restera à l'écran durant toute la séance. Le jeune homme au turban reparaît comme par magie et déclare en souriant que chacun de nous recevra un « mantra ». Issu du sanskrit, ce terme signifie « protection de l'esprit » et désigne l'exercice qui consiste à répéter un son, un mot ou une phrase. À la manière d'une conversation entre le cœur et l'esprit, la récitation du mantra engendre un doux mouvement de va-et-vient qui a pour effet de diminuer progressivement les fluctuations du mental.

Cinq minutes plus tard, je reçois un petit mot de cinq lettres qui se termine par « i » et qui m'est complètement étranger. On nous explique que c'est justement parce que le cerveau ne comprend pas le mantra que celui-ci a un tel effet. À force d'être répété, il finit par nous guider vers un « lâcher-prise » qui permet au mental de s'apaiser. Je suis à la fois perplexe et réjouie de constater que tout est si simple. Si j'avais su, je serais venue plus tôt.

Quelques minutes plus tard, armée de mon code secret, je m'assois par terre, très excitée à l'idée d'entreprendre cette nouvelle aventure. Le jeune homme nous demande de rester immobiles, de fermer les yeux et de répéter ce mot sans penser à rien d'autre. Je m'installe et je commence. Chaque fois qu'une pensée parasite surgit, je la mitraille avec mon mantra. Une pensée ? En fait, je n'ai pas qu'une pensée, mais des milliers ! Et, au lieu de capituler, ces pensées se transforment vite en obsessions. Je me demande d'abord si j'ai mis assez d'argent dans le parcomètre ; ensuite je me dis que je dois passer chez le nettoyeur le lendemain pour récupérer mon tailleur en lin rose ; et cela me fait penser au film qu'Hélène et moi avons regardé la veille. Je pense à ma sœur, à ma mère, à mon cou, à mes épaules... Soudain, j'ai vraiment mal au dos ! C'est même insoutenable ! Je sais, pour l'avoir entendu dire pendant la présentation, qu'il est interdit d'ouvrir les yeux, car alors l'attention s'égare, mais je les ouvre quand même. Je veux juste vérifier si les autres souffrent autant que moi. Je scrute le visage des quatre autres participants qui semblent, eux, goûter à l'illumination promise. Je referme les yeux. « Sois calme et tais-toi. Arrête de penser à tes genoux, à ton dos, à tes épaules. Stop ! Ne fais pas ta liste d'épicerie dans ta tête ! Reviens au mantra… » Ça y est, je l'ai oublié ! Entre mes douleurs physiques et l'énumération de mes achats, mon mantra en a profité pour s'éclipser !

Le lendemain matin, heureusement, il est revenu. En ce deuxième jour, je m'installe dans la position dite du « méditant », et ça recommence… Mon cerveau se remet à parler tout seul et il en profite pour régler des factures mensuelles, calculer le solde de mon compte bancaire, passer en revue les émissions de télé et le contenu du frigo. Et puis, soudain, je répète le mantra et mes pensées s'évanouissent une à une. Je suis tellement impressionnée que je me retiens pour ne pas crier de joie !

Le dernier jour de l'atelier, je réussis à pénétrer de nouveau dans un monde paisible où, pendant quelques instants, le mantra fait le silence en moi. Je rentre à la maison heureuse mais courbaturée comme je ne l'ai jamais été. J'ai l'impression étrange que mon corps ressemble à la lettre *C*.

Tout l'hiver, je pratique la méditation transcendantale à raison de deux séances de vingt minutes par jour. Désormais, mon mantra m'accompagne partout. Je l'utilise pour apaiser mes angoisses dans la salle d'attente du médecin, pour m'enseigner la patience dans une file à la banque, pour stabiliser mon mental quand je mange seule, ou simplement quand je me promène dans la nature avec Paloma. Petit à petit, grâce au yoga et à la méditation, chaque jour devient un meilleur jour.

La retraite

J'avais l'impression d'avoir atteint un certain équilibre dans toutes les sphères de ma vie. Ma priorité était de le maintenir. À présent, le défi consistait à saisir les occasions, à demeurer passionnée, sans dépasser mes limites. Mais parfois, il m'arrivait encore de l'oublier…

Par un beau samedi matin du mois de mai, nous prenions notre café sur la terrasse. Hélène lisait les journaux et je feuilletais un magazine, quand je suis tombée sur une publicité pour un « Yoga Boot Camp ». Quand je me suis rendu compte que les dates concordaient avec nos vacances d'été, j'ai lâché un cri de joie. C'était un signe ! Hélène, qui n'avait jamais pratiqué le yoga, ne partageait pas mon enthousiasme. Un « camp d'entraînement » intensif de dix jours à Maya Tulum, au Mexique, lui semblait un peu extrême comme initiation, et elle préférait attendre à l'automne pour se joindre à un groupe de débutants. « Mais non ! Grâce à cette retraite, tu vas progresser tellement plus rapidement ! » Avant qu'elle m'ait répondu, je réservais nos places par téléphone.

Le jour du départ, à la fin de juin, je ne tenais plus en place. Le vol m'a paru interminable et j'étais si fébrile que j'ai eu l'impression de retenir mon souffle de Montréal à Cancún. Là-bas, un autocar nous attendait pour nous conduire à Maya Tulum. Tulum est un site archéologique de la péninsule du Yucatán, au sud-est du Mexique, dans la région de Riviera Maya, le long de la mer des Caraïbes. Depuis les années 1970, l'endroit attire les yogis, car on peut y pratiquer le yoga et la méditation en pleine nature tropicale, avec vue imprenable sur l'océan.

« J'ai eu une bonne idée, non ? » ai-je demandé à Hélène en dégustant la délicieuse eau de coco qu'on venait de nous offrir en guise de bienvenue. Elle a acquiescé de la tête, mais avec réserve. Vingt minutes plus tard, nous avions récupéré nos bagages et marchions en direction de notre hutte. En chemin, nous avons croisé un couple de yogis qui nous ont saluées : « Namasté. » Hélène les dévisageait comme si elle venait d'atterrir sur une autre planète ! Je lui ai expliqué que cela signifiait « bonjour », mais aussi « je vois le divin en vous ». « Ah, bon... », m'a-t-elle répondu d'une voix mal assurée.

Dispersées parmi les palmiers, les cocotiers et les fleurs tropicales, les huttes étaient faites de bambou, de bois, de terre cuite et de paille. La nôtre n'était pas bien grande, mais nous la trouvions charmante. Rustique, mais typiquement mexicaine et très chaleureuse. Le sol était de terre cuite, les murs de chaux semblaient avoir été peints la veille, et des carreaux de céramique colorés, disposés astucieusement, rendaient la pièce plus invitante. Au centre, deux lits placés côte à côte étaient recouverts d'un grand filet blanc, élément essentiel pour nous protéger contre les petites bêtes à quatre pattes de la jungle. De chaque côté des lits, deux tables de chevet en bambou portaient des lampes. En outre, il y avait une douche, un lavabo et une toilette au fond de la hutte.

Avec une délicieuse insouciance, j'ai commencé à ranger mes affaires. Hélène, elle, était déjà sortie voir la mer. Sur chaque lit, il y avait un t-shirt, souvenir offert par les organisateurs. Des lettres imprimées au dos de ce vêtement formaient le message suivant : SUFFERING IS OPTIMAL (La souffrance est optimale). Me voilà terrifiée ! Cette retraite ne s'annonçait pas du tout comme je l'avais imaginé...

En fin d'après-midi, les soixante-neuf participants se sont réunis pour faire connaissance avec le professeur. À première vue, il ne ressemblait en rien aux autres yogis : carrure athlétique d'un boxeur poids moyen, bandana sur la tête comme un rappeur, peau bronzée et torse épilé. Il était de ceux dont l'âge est impossible à déterminer. Pendant qu'il expliquait le programme avec une autorité quasi charismatique, nous étions tous figés devant lui comme des soldats. Ensuite, il a énuméré les règles que nous devrions respecter : aucune consommation de sucre, de thé ou de café ne serait tolérée ; nous ne mangerions que des légumes et des fruits durant les premiers jours, après quoi des céréales, des noix et des avocats seraient progressivement ajoutés à notre régime alimentaire ; chaque après-midi, nous aurions droit à trois heures de temps libre pour nous reposer ou pour faire du tourisme ; le reste du temps, notre présence était requise à toutes les séances de yoga et de méditation, sans exception.

Tout bien réfléchi, je n'étais plus certaine de vouloir participer à cette retraite… « Ouais, ç'a bien l'air que nous avons payé le gros prix pour être torturées vivantes ! » a dit Hélène en marchant vers notre chambre. Je ne pouvais que me taire, mais je m'efforçais d'avoir le pas enthousiaste pour deux. Après tout, ce *boot camp*, c'était mon idée !

Jour 2

Le lendemain matin, à six heures trente, le groupe s'est présenté à la hutte-restaurant pour le petit déjeuner. L'abstinence me tenaillait. J'aurais donné n'importe quoi pour un expresso double, deux ou trois rôties et des œufs brouillés. Quelques minutes plus tard, alors que nous mangions nos fruits, une jeune femme au teint pâle et à l'immense crinière rousse est venue se joindre à nous. Elle s'appelait Tracy et était originaire de l'Ouest américain. Elle en était aussi à sa première retraite du genre et se disait terrorisée par les jours à venir. Je supposais qu'elle voulait parler des classes de yoga et des séances de méditation.

Peu après, dans la grande salle, nous enfilions les salutations au soleil. Il ne faut pas se fier à l'appellation poétique de cet exercice exigeant qui transforme le corps en une sorte de pompe : sur l'inspiration, les bras s'élèvent vers le ciel, et à l'expiration ils plongent vers le sol. Le corps monte et descend continuellement sur une respiration sonore et à une cadence soutenue. Selon les maîtres de yoga, la transpiration causée par cet exercice nous permet d'éliminer les toxines et de nous purifier. Alors je pompe, je pompe, je pompe et je po-o-o-om… pe ! Soudain, mes jambes et mes genoux cèdent ! J'essaie tant bien que mal d'agripper mon tapis de yoga avec mes orteils, mais je vacille comme si j'étais saoule, je perds l'équilibre et tombe ! Effondrée au sol, j'entends le professeur au loin qui ne cesse de répéter : « *Breathe !* Respirez ! *Breathe !* Respirez ! »

Ce jour-là, la séance du matin a duré deux heures et celle de l'après-midi, plus de trois heures. « Nous sommes inconscientes si nous croyons sortir vivantes de cette retraite ! » Il était dix-sept heures et Hélène exprimait tout haut ce que je pensais tout bas. Alors, dans l'espoir de détendre l'atmosphère, j'ai ajouté tout bonnement : « Si je dois mourir ici, on pourra inscrire sur ma pierre tombale que je suis décédée d'une mort naturelle et non artificielle ! » Hélène ne m'a pas trouvée drôle du tout, elle était trop occupée à masser ses mollets. Moi-même, j'avais l'impression d'être passée sous un rouleau compresseur, mais je me gardais bien de me plaindre. Ce soir-là, je me suis endormie en me disant qu'il ne restait que huit jours à cette retraite. Sauf que huit jours, c'est long !

Jour 3

Au premier coup d'œil, on pourrait croire que le yoga n'est qu'un exercice physique, mais les *asanas* (les postures physiques du hatha-yoga) exigent non seulement de la force, mais aussi un alignement précis et un grand effort d'attention. À l'image d'un sculpteur qui taille patiemment son bloc de pierre, le souffle sculpte notre corps afin que la posture puisse émerger naturellement de l'intérieur vers l'extérieur. Chaque séance commence par les postures les plus simples et progresse vers des formes plus complexes à maîtriser. Tout cela, j'allais l'apprendre un peu plus tard. Pour le moment, je m'apprêtais à vivre une tout autre expérience !

Nous étions assis en cercle, prêts pour une séance de méditation. Voyant que mon voisin était assis directement sur le sol, j'ai décidé de l'imiter et j'ai quitté mon tapis. Jambes croisées dans la posture du tailleur, j'ai posé les mains sur mes genoux et j'ai fermé les yeux. J'étais loin de la posture idéale, car en raison d'un manque de souplesse j'avais les genoux… sous les oreilles ! Le professeur m'a alors suggéré à l'oreille de m'asseoir sur un coussin de méditation, pour pouvoir être plus confortable mais je n'ai pas jugé bon de lui obéir. Durant les cinq premières minutes, tout allait bien, mais ensuite chaque seconde m'a paru l'équivalent d'une heure de torture! Une douleur sourde irradiait de mes chevilles à mes genoux, si bien que, au lieu de respirer, je haletais bruyamment. Mon dos, quant à lui, était poignardé par des douleurs aiguës qui le traversaient de haut en bas. Était-il indispensable que je me fasse souffrir de la sorte? Mon Dieu! J'aurais donné ma vie pour un coussin. J'ai alors appelé mon mantra à la rescousse, celui qui finissait par «i», mais peine perdue. Ma souffrance était à son comble! Et le message du t-shirt cognait contre mes tempes — SUFFERING IS OPTIMAL. Je priais de toutes mes forces pour que le gong retentisse. Dès que l'instrument s'est mis à vibrer, j'ai expiré bruyamment, comme si on venait de me délivrer de six mois de captivité!

Jour 4

Tracy trépignait de frustration et d'impatience, visiblement plus agitée que d'habitude. Je me suis approchée d'elle pour lui demander si ça allait, et c'est à ce moment qu'elle m'a parlé de sa névrose. Peu importe où elle se trouvait, à la maison, au bureau, au café du coin, dans le métro ou en vacances à Maya Tulum, Tracy était terrorisée à l'idée que quelqu'un lui «volerait» sa place. D'après elle, ce trouble était dû au fait qu'elle avait grandi dans une famille nombreuse et qu'elle avait toujours dû se battre pour faire sa place. Dès qu'elle était avec des gens, elle angoissait. C'est pour cette raison qu'elle avalait son déjeuner en vitesse et qu'elle courait dérouler son tapis à sa place habituelle dans la salle de yoga. Elle était si inquiète de voir un autre participant prendre la place qu'elle avait choisie à son arrivée, qu'elle en faisait presque une psychose. À trente-trois ans, elle se disait condamnée à vivre ainsi toute sa vie. Elle avait l'impression qu'elle ne changerait jamais et n'envisageait pas la possibilité d'une rémission. J'étais touchée par sa souffrance et j'aurais voulu la rassurer en lui disant qu'elle était plus forte que cette fixation, mais elle avait déjà quitté la table en toute hâte.

Trente minutes plus tard, nous étions de retour dans la grande salle. Assise sagement sur mon tapis, j'attendais que la séance débute. J'écoutais distraitement deux participantes, à ma gauche, qui parlaient tout bas de ma voisine de droite. J'ai tendu l'oreille juste au moment où l'une d'elles disait que cette jeune femme était journaliste pour le prestigieux magazine londonien *W*. Mon Dieu ! Mon magazine préféré ! Même si je dévorais des tonnes de périodiques, j'avais toujours eu un faible pour cette magnifique publication qui présente les toutes dernières tendances avec de superbes photos et qui publie des commentaires sur les plus grands défilés et des articles de fond sur les sujets les plus branchés. Les filles ont ajouté que cette journaliste suivait notre yogi et qu'elle écrirait un article sur cette retraite. Aussi fière qu'un paon, la tête haute et les plumes au vent, je me suis redressée sur mon tapis : ces informations avaient fouetté mon ego ! Aussitôt, je me suis vue en imagination comme la grande amie de la journaliste du *W*, pour la simple raison que nous avions une multitude de choses en commun. Nous exercions à peu près le même métier, partagions une passion pour la mode et le yoga, alors pourquoi ne parcourrions-nous pas la planète ensemble pour couvrir les événements les plus prestigieux ? Déjà, mon ego me faisait miroiter un avenir éblouissant et j'en étais aveuglée.

C'est à ce moment que les choses se sont gâtées. Enivrée au point d'oublier que je n'étais qu'une débutante, j'essayais de suivre la cadence de la journaliste qui enchaînait les postures avec grâce et détachement. Pendant que j'avais la tête en bas, j'aspirais moi aussi à flotter d'une posture à l'autre. Et, durant l'heure suivante, dans l'espoir de me faire remarquer par ma nouvelle « amie », je pousserais l'ardeur et le zèle à leur maximum. Je croyais naïvement qu'en outrepassant les limites de mon agilité et de ma flexibilité, je serais admirée par ma « collègue ». Nous n'en étions qu'au tiers de la séance lorsqu'une douleur sourde dans ma cheville droite m'a forcée à m'asseoir sur mon tapis. J'ai alors remarqué avec frayeur que ma cheville était rouge, enflée et brûlante au toucher. Contrariée par l'impossibilité de poursuivre la séance, je me suis étendue et j'ai fermé les yeux. Deux grosses larmes silencieuses se sont mêlées à la sueur de mon visage.

En moi, une voix douce m'a dit : « Pourquoi t'en demandes-tu toujours plus et toujours trop ? Pourquoi continues-tu de te faire souffrir ? Depuis que tu es toute petite, tu dépasses continuellement tes limites. Tu cours, tu pousses, tu fonces, jusqu'à ce que tu tombes. N'es-tu pas épuisée de vivre ainsi ? » Lorsque j'ai réussi à me relever, une soixantaine de t-shirts valsaient devant mes yeux. SUFFERING IS OPTIMAL !

Jour 5

J'ai réalisé à quel point mon obsession de vouloir bien paraître me rendait dépendante de l'approbation des autres. La séance de la veille, quand j'avais voulu impressionner une inconnue au risque de me blesser, m'en avait fait prendre conscience. Je réfléchissais à cela lorsque le gong a sonné trois fois pour signaler le début de la séance. Les postures s'enchaînaient au même rythme que les jours précédents, mais je suivais désormais ma cadence naturelle, celle de ma respiration. Et c'était merveilleux ! Mon souffle semblait s'être transformé en un partenaire de danse : il me conduisait, me soulevait et me reposait silencieusement plus loin. De temps à autre, je repensais à ma résolution de ne plus me comparer aux autres. À un moment donné, je me tenais en équilibre sur une jambe. Ma concentration s'était manifestement stabilisée. J'étais si heureuse que j'en aurais presque éclaté en sanglots. Je venais de me retrouver et je ne voulais plus me perdre !

Jour 6

Quelqu'un allait d'une hutte à l'autre en frappant sur un gros bol tibétain pour nous signaler qu'il était cinq heures... du matin ! Cette journée débuterait immédiatement par une longue séance de méditation. À jeun, nous marchions lentement vers la salle. Ces cinq jours de pratique intensive du yoga commençaient à se faire sérieusement sentir dans nos os, nos articulations et notre niveau d'énergie. En entrant dans la pièce, j'ai remarqué que Tracy était déjà en place. Elle devait avoir passé la nuit à garder sa place, telle une louve sa tanière.

« Sortez de votre tête et entrez dans votre corps ! » Le professeur venait de donner sa première instruction pour cette méditation. J'ai ressenti une envie de fuir incroyablement puissante. Je venais de revoir des blessures du passé et j'en ressentais une souffrance que j'avais toujours refoulée. J'avais beau réciter mon mantra et me focaliser sur ma respiration, je n'avais aucun moyen analgésique à portée de main pour faire taire cette souffrance. Elle semblait vouloir remonter à la surface. Je la repoussais, croyant m'en libérer, mais elle s'intensifiait ! Un flot de souvenirs m'est alors revenu à la mémoire. Je revivais de vieilles peurs, des colères non assumées, des chagrins du passé. J'avais l'impression d'être une banquise qui dégelait après des milliers d'années de froide rigidité. Une immense vague de tristesse est montée en moi et j'ai bien cru être engloutie. Et puis soudain, mon cœur s'est ouvert vertigineusement et mon monde intérieur s'est révélé. Chaque émotion ressemblait à une vague. J'étais traversée par des courants de toutes sortes, certains douloureux, d'autres agréables, d'autres neutres, entrecoupés de moments de plénitude. J'ai compris pourquoi les yogis disent que le corps est fait d'énergie et qu'il pouvait se transformer, se déplacer, se renouveler. Si j'arrivais à faire circuler cette énergie, à effacer les blocages en moi, pouvais-je changer mon corps ? Pouvais-je guérir ?

Jour 7

La vie m'a toujours semblé être un combat à finir. Depuis mon arrivée à Maya Tulum, je sentais qu'une transformation s'opérait en moi et je tâchais de faire le tri de mes émotions. À l'aube de ce septième jour, j'étais allongée sur mon lit pour lire cette vieille légende bouddhiste :

Dans un pays lointain, un enfant était venu rencontrer un vieux sage. Ce moine était célèbre dans tout le pays pour son extraordinaire capacité à réparer toute chose — qu'elle fût fissurée, brisée ou cassée. Ses mains étaient si habiles, sa dextérité si précise, qu'à son toucher tout objet abîmé retrouvait sa beauté. L'enfant souhaitait que ce vieux sage répare son jouet préféré.

« Qu'est-ce qu'il a, ton jouet ? lui demanda le moine.

— Il est cassé en un million de morceaux, répondit l'enfant.

— Dans ce cas, je ne pourrai pas le réparer.

— Pourquoi pas ? On dit que vous pouvez réparer n'importe quoi !

— Ton jouet est cassé en un million de petits morceaux et cela ne se répare pas. »

En refermant le livre, je me suis reconnue dans cet enfant ! Tout comme lui, j'avais passé de nombreuses années à me « promener » de personne en personne, d'expérience en expérience, d'aventure en aventure, de relation en relation, en tenant mon « passé brisé » à bout de bras, dans l'espoir que quelqu'un ou quelque chose le réparerait. Mais rien ni personne ne pourra jamais réparer le passé. Le moment était venu pour moi de le laisser aller.

Jour 8

À notre arrivée dans la hutte centrale, au matin du huitième jour, nous avons appris que la journée serait entièrement consacrée au *pranayama*, la « discipline du souffle ». Aussitôt ma mémoire m'a ramenée à Provincetown, dans le cabinet du médecin, où j'avais eu si peur de ne plus jamais respirer. Depuis lors, j'avais du mal à respirer profondément. J'espérais que le *pranayama* pourrait m'aider, mais c'est une phrase prononcée par le yogi qui m'a ébranlée : « Vous respirez comme vous vivez. Si vous vivez vite, vous respirez vite. Si vous vivez superficiellement, vous respirez superficiellement. » L'exercice du matin consistait à poser les mains sur la cage thoracique pour sentir les côtes s'ouvrir sur l'inspiration, comme le soufflet d'un accordéon, puis se refermer sur l'expiration. « En expirant ainsi, votre corps indique à la vie que vous êtes prêt à laisser aller le passé et à vous ouvrir au moment présent. » À cet instant, j'ai compris pourquoi je m'étais inscrite à cette retraite. J'étais là pour me décharger d'un poids que je portais depuis trop longtemps, un fardeau devenu trop lourd. Des résidus de colère, de tristesse et de peurs s'étaient accumulés avec le temps, jusqu'à former un bloc de douleurs qui pesait sur moi et m'empêchait d'avancer. Tant de souffrances avaient fissuré mon âme, brisé mon cœur, sillonné mon foie. « Je ne veux plus souffrir. » Ces mots ont jailli spontanément en moi. Instinctivement, j'ai mis la main sur mon ventre et j'ai commencé à respirer profondément. J'ai inspiré et j'ai expiré, encore et encore, jusqu'à ce que je fasse une découverte extraordinaire qui allait me libérer. Je me suis rappelé qu'un certain soir, quand je vivais à

Québec, un automobiliste nous avait crié: «Tapettes! Tassez-vous du chemin, sacrament!» Devant ce mépris, j'avais pris la fuite. Toute ma vie, j'avais couru droit devant moi, sans me retourner, comme si j'avais été poursuivie par quelque chose, par quelqu'un. Jamais je ne m'étais arrêtée. En comprenant cela, quelque chose dans mon corps s'est relâché. J'ai eu l'impression de me libérer d'un poids. Je déposais enfin ce fardeau. J'en ai ressenti une énergie incroyable, comme si je venais de me donner naissance. D'une certaine manière, ma véritable guérison a commencé à ce moment-là, le matin du huitième jour à Maya Tulum.

* * *

Le repas du soir avait été délicieux. La lumière du jour baissait rapidement et le temps était venu de regagner notre chambre. Je réalisais à quel point ce huitième jour de retraite s'était révélé exceptionnel. Hélène aussi m'apparaissait plus légère. Lorsque je le lui ai dit, elle m'a avoué qu'elle avait souvent songé à quitter la retraite pour me donner rendez-vous à Montréal. Mais chaque fois, quelque chose l'avait incitée à rester et elle se disait vraiment heureuse d'être toujours là. J'en étais heureuse, moi aussi.

Jour 9

Tracy était venue s'asseoir avec nous pour le dernier petit déjeuner à Maya Tulum. À notre grande surprise, elle ne semblait pas pressée de terminer son repas ce matin-là. Elle était incroyablement calme lorsqu'elle nous a annoncé fièrement que, pour cette dernière séance de yoga, elle laissait « sa » place à quelqu'un d'autre. Étonnée, je lui ai demandé ce qui avait motivé ce changement.

« Je n'ai pas jugé nécessaire de vous le dire, a répondu Tracy, mais depuis le premier matin où j'ai placé mon tapis en plein centre de la salle, un nid d'oiseau trônait juste au-dessus de ma tête. Ce jour-là et tous les jours suivants, je me suis littéralement fait chier dessus. Il m'aura fallu neuf jours pour comprendre que, dans la vie, quand la merde te tombe sur la tête, déménage ! »

Nous n'avons jamais tant ri !

Jour du départ

L'heure était venue de nous rendre une dernière fois à la salle commune. Nous avons emprunté un étroit chemin de sable qui serpentait entre les huttes. Un participant nous précédait, marchant lentement, sans se presser, et nous n'arrivions pas à le dépasser. L'homme à la carrure athlétique portait le fameux t-shirt que nous avions tous reçu en cadeau le jour de notre arrivée. Je marchais sur ses talons, quand brusquement j'ai freiné, stupéfiée, comme si je lisais l'inscription au dos du t-shirt pour la première fois. J'ai saisi le bras d'Hélène et l'ai serré si fort qu'elle s'est immobilisée. « Qu'est-ce qui est écrit sur ce t-shirt ? » ai-je murmuré d'une voix étouffée par le choc. « La même chose que sur le tien, le mien et tous les autres », m'a répondu Hélène, se demandant si je n'avais pas perdu la tête. « Je le sais ! Mais lis-moi cette phrase à voix haute… » Ne comprenant pas pourquoi j'en faisais tout un plat, elle a prononcé : « *Suffering is optional.* » Quoi ? La souffrance est optionnelle ? À cause de ma dyslexie, j'avais lu « *optimal* » au lieu d'« *optional* » ! La souffrance est optionnelle ! Moi qui avais toujours vécu sur la défensive et considéré la vie comme un combat à finir, je ne verrais plus jamais les choses de la même manière. Cette méprise allait changer ma vie, et ma façon de voir la vie !

* * *

Quelques mois plus tard, nous avons reçu des nouvelles de Tracy. Elle partait en expédition dans l'Himalaya avec son nouvel amoureux. Au bas de la carte postale, elle avait ajouté avec humour qu'à une telle altitude, dans ces montagnes du bout du monde, personne ne viendrait lui voler sa place !

Déposer mes bagages

Trouver ma voie

J'amorce un nouveau chapitre. Nous sommes au début de 1998 et j'ai profité du congé de Noël pour déterminer ce qui participe à ma guérison et ce qui me nuit. J'ai mis de l'ordre dans mes priorités et j'ai établi une nouvelle routine : je commence chaque journée en évaluant mon niveau d'énergie que je chiffre en pourcentage. Certains jours, mon corps est à 100 % de sa forme optimale, mais d'autres jours il n'est qu'à 30 % et c'est bien ainsi. Sachant cela, j'examine mon emploi du temps pour m'assurer que j'ai la force nécessaire pour accomplir toutes mes tâches. Si oui, j'entreprends ma journée avec enthousiasme, mais en m'assurant de faire des pauses pour me reposer. Sinon, je modifie mon horaire. J'élimine des choses, je dis non à certains projets et je déplace des activités. J'abandonne des relations qui ne contribuent plus à mon bien-être. Mon régime de vie est strict. Je me lève vers cinq heures trente pour méditer et faire une séance de yoga. Plus tard dans la journée, après le travail, je pratique une relaxation profonde. Le soir, je me consacre à des lectures ou à des études bouddhistes. Parfois, il m'arrive d'envier mes amis qui dégustent allègrement des fromages, des chocolats fins et boivent du vin à volonté, mais je n'ai qu'à mesurer ce que me coûte le moindre excès pour faire taire ce sentiment. En somme, il n'est plus question de m'octroyer le monopole de la souffrance. Et, si je l'oublie, je prends tout de suite appui sur mon nouveau mantra : La souffrance est optionnelle.

Je sais bien qu'un tel encadrement ne vaut pas pour tout le monde, et Hélène me dit souvent qu'elle serait incapable d'une telle ascèse, mais ce renoncement me mène à la liberté. Lorsque je m'en éloigne, les choses se gâtent.

* * *

Je n'arrive pas à y croire ! Darby, mon professeur de yoga, m'invite à me joindre à une formation en enseignement du yoga à la fin du mois d'août. Une partie de moi exulte, mais toutes sortes d'inquiétudes surgissent pour freiner mon élan.

« Tu as quarante ans, il est beaucoup trop tard pour envisager une nouvelle carrière ! C'est complètement déraisonnable de dépenser tant d'argent pour apprendre un métier que tu ne pratiqueras jamais ! C'est irresponsable de devenir professeure de yoga, alors que tu ne peux même pas toucher tes orteils sans grimacer ! Tu es trop vieille, pas assez souple. Tu n'as pas la santé nécessaire pour entreprendre une telle aventure. Tu n'as pas assez d'argent non plus. Tu n'y arriveras jamais… »

Pour suivre ce cours, je dois réduire de moitié mes activités professionnelles, donc mes revenus. Est-ce possible ? Assise à la table de cuisine avec papier, crayon et calculatrice, j'élabore depuis une heure une stratégie et un budget pour l'année à venir. D'abord, j'apporterai un sandwich au travail pour diminuer mes dépenses de restaurant. Je pourrai garer ma voiture à la station de métro pour épargner l'essence, les parcomètres et les stationnements. Pour les neuf prochains mois, il sera hors de question d'acheter de nouveaux vêtements et de nouvelles chaussures. Et je me procurerai dorénavant des livres d'occasion. Finalement, côté coiffure, je me coifferai moi-même et pourrai même me faire... une coloration maison ? Stop ! Du calme ! N'exagérons pas ! D'accord, j'irai chez le coiffeur pour la coloration...

L'exercice terminé, je repousse les papiers, m'adosse à ma chaise et prends une profonde inspiration. Déjà, je me visualise à la fin de ces deux années de formation, rayonnante de force et de stabilité, dans la posture du guerrier pacifique, dans un flot de lumière et de grâce. Le cosmos m'appuie !

Ce soir-là, avant de m'endormir, je note ces mots dans mon journal : « Aujourd'hui, j'entame ma quarantième année en réalisant un rêve. J'ai terriblement peur, mais ce n'est pas grave. Mieux vaut mourir usée que rouillée ! »

Divisée entre deux mondes

Je vivais maintenant dans deux mondes diamétralement opposés. Le matin, j'arrivais très tôt au studio de yoga, où pendant deux heures, pieds nus sur mon tapis, je suais à grosses gouttes en enchaînant les postures. Le reste de la journée, maquillée et parfumée, je courais en talons hauts d'une boutique à l'autre afin de repérer les tendances mode de la saison. Cela peut sembler superficiel, mais j'avais l'impression que mon « métier » créait une certaine distance entre les autres participants à la formation et moi. La plupart venaient du monde de la danse, du sport ou d'une discipline connexe à la gymnastique. En somme, j'avais le sentiment d'être un imposteur sur le chemin spirituel. Pour accentuer ce malaise, je n'avais qu'à songer à l'hépatite C.

Comme j'allais bientôt le découvrir, toute notion d'imperfection, de différence ou de séparation est une fabrication de l'ego. Cet éternel insatisfait nous fait croire qu'on est toujours quelqu'un en devenir, qu'il y a toujours quelque chose à obtenir ou quelque lieu à atteindre. Ce malaise qu'on ressent comme un inconfort persistant est toujours accompagné de tensions physiques et de frustrations mentales. Chaque jour, nous sommes ballottés par les désirs incessants de l'ego qui rôde sous les « je voudrais être ceci », « je ne veux pas être cela », « je suis trop ceci », « je ne suis pas assez cela » ; sous les « j'aurais dû » et « il faudrait que ».

Pour nous libérer de cet esclavage, les grandes philosophies pointent toutes dans la même direction : vers la voie du contentement. En yoga, on utilise le mot sanskrit *santosha*. Aussi appelé « pratique de la gratitude », cet enseignement est au cœur même de tout apprentissage spirituel. Lorsque j'ai pris conscience de tout cela, j'ai commencé à me répéter cette phrase : « Moment présent, moment parfait. Ici et maintenant, j'ai tout ce dont j'ai besoin. » Grâce à ce mantra, mes désirs me tiraillaient de moins en moins. Jour après jour, j'acceptais davantage ma différence et celle des autres. J'étais moins préoccupée par mon petit monde et plus ouverte à celui qui m'entourait. Dès lors, j'ai senti que j'étais membre à part entière du groupe des participants. Ma vision de la vie s'élargissait. Le monde m'apparaissait plus accueillant, plus bienveillant. J'étais moins méfiante, plus authentique et plus ouverte. La pratique de *santosha* m'enseignait la compassion, l'humilité et la persévérance dans l'oubli et le don de soi.

Jour après jour, ma vie se simplifiait. Il y avait bien sûr encore des moments où je retombais dans l'incertitude et le doute, mais j'en devenais vite consciente. Lentement, mais sûrement, j'apprenais à devenir une professeure de yoga et un meilleur être humain. Je sentais croître en moi une force de vie nouvelle.

Un passage difficile

Au bout de neuf mois de formation, mon enthousiasme a été tempéré par une nouvelle crise inflammatoire. Après chaque période de surmenage physique et d'épuisement mental, certains symptômes s'intensifiaient. Je ne voulais pas me projeter dans des perspectives terrifiantes, d'ailleurs j'avais les outils pour maîtriser mes symptômes, mais je sentais que je ne devais pas dilapider mes forces. Toute aggravation de l'inflammation signifiait que ma vie était déséquilibrée, et par ce signal mon corps m'exhortait à réduire ma vitesse de croisière.

Quelques jours plus tard, alors que d'autres malaises persistaient, Hart Lazer, un ami professeur de yoga, m'a aiguillée vers la dimension thérapeutique du yoga qu'on enseigne en Inde. Ainsi, j'ai découvert qu'en construisant des séquences de postures auxquelles j'ajoutais certaines techniques de respiration j'arrivais à faire disparaître certains malaises et à faire diminuer d'autres symptômes. À mon grand étonnement, la « yoga thérapie », comme l'appellent les initiés, soulageait rapidement la fatigue, les bouffées de chaleur et les nausées. Pour que mes pratiques soient pleinement efficaces, je dois les combiner à une longue séance de relaxation profonde.

Les véritables changements sont apparus quelque temps plus tard grâce à la pratique du yoga nidra, cette technique qui suit les étapes d'intériorisation propres à la méditation, qui agit sur les différents systèmes du corps et amène le pratiquant à un état équivalant au sommeil profond, mais sans les rêves. Ce puissant moyen de transformation personnelle permet de sortir de la ronde des pensées négatives, de compenser les insomnies, de se recharger quand on est nerveusement épuisé, de développer les capacités d'attention et la mémoire. Il a de grandes incidences sur l'apprentissage et sur le ressourcement de notre être, ce qui est confirmé par les plus récentes découvertes en neurosciences. Après trois semaines de pratique, j'avais regagné tellement d'énergie et de vitalité qu'Hélène s'est mise elle aussi à pratiquer tous les jours le yoga nidra.

* * *

Le 1er janvier 2000, le journal *La Presse* m'a fait le grand honneur de me nommer Personnalité de la semaine pour souligner mon travail de direction artistique lors d'un grand événement mode au profit d'un organisme communautaire. Malgré ma décision de ne plus m'investir dans ce genre d'activité, j'avais décidé de m'engager dans ce magnifique projet, puisqu'il avait pour but d'aider les plus démunis de notre société. Cette récompense a insufflé une énergie nouvelle dans ma vie. J'avais le vent dans les voiles et me voyais déjà prendre mon envol. J'étais loin de me douter que je serais bientôt durement mise à l'épreuve.

Contre vents et marées

Après cinq cents heures d'étude, d'entraînement physique et de formation, j'étais épuisée. Courage, courage! La fin de la formation approchait. Avant d'obtenir mon certificat, il me restait deux étapes cruciales à franchir: un examen écrit et l'évaluation de ma technique d'enseignement du yoga en classe. Pour m'y préparer, j'avais étudié de nombreuses heures, mémorisé mes textes, visualisé l'enchaînement des postures, et je m'étais exercée des dizaines et des dizaines de fois à guider à haute voix des séances de yoga. J'étais prête! « Bonne chance! » m'a lancé Hélène en me déposant devant le studio. Deux heures plus tard, on m'annonçait que j'avais réussi l'examen écrit avec brio. Il ne me restait qu'à diriger une classe de yoga de soixante minutes avant d'être certifiée professeure. Dans les tréfonds de ma mémoire flottent encore les souvenirs de ce moment cauchemardesque.

Lorsqu'on m'a appelée, je me suis rendu compte qu'il y avait eu un changement au programme et que je ne serais pas évaluée par Darby, mais par une femme que je connaissais un peu et qui me semblait aussi sympathique qu'un congélateur. Elle m'a fait signe d'entrer dans sa salle de cours et je me suis immédiatement sentie en danger. Mais j'étais bien préparée, alors, après avoir inspiré profondément, j'ai commencé la classe. Une heure plus tard, tout s'était bien passé ! Les étudiants du groupe m'ont remerciée avant de s'en aller. J'ai même eu droit à des félicitations et à des mots d'encouragement. Un immense sourire s'était dessiné sur mon visage. J'étais fière de moi.

Nous étions maintenant seules, la professeure et moi, l'une en face de l'autre. Papier et crayon en mains, j'étais prête à recevoir mon évaluation. Après un long silence, la professeure a déclaré d'une voix froide et sans me regarder : « Vous n'avez pas ce qu'il faut pour enseigner le yoga. » J'en suis restée bouche bée. J'attendais, le stylo en l'air, qu'elle me donne quelques conseils ou me fasse au moins une suggestion pour que je puisse améliorer ma technique, mais elle n'a rien ajouté. J'étais abasourdie. J'avais tout de même guidé une séance de yoga de soixante minutes et plusieurs participants m'avaient félicitée ! J'avais dû faire certaines choses correctement... Au moins une, non ?

« Selon vous, que me manquerait-il ? » lui ai-je demandé en m'efforçant de ne pas pleurer. Elle m'a répondu : « Vous n'avez tout simplement pas une voix adéquate pour enseigner le yoga ! »

J'ai vacillé. Cette phrase, telle une flèche empoisonnée, m'avait transpercé le cœur. Je ne comprenais rien à ce commentaire. Je travaillais dans le monde des communications et plusieurs fois, à la télévision et à la radio, on m'avait dit que ma voix était un atout. J'étais en plein cauchemar ! Je ne pouvais pas bouger, les jambes et les pieds paralysés, et mon cœur battait violemment. Tout ce que je pouvais faire était de fixer le mur derrière elle. J'avais de nouveau quatre ans ; on m'offrait une boîte vide. Et, comme le jour où mon père m'avait interdit le théâtre, un autre rêve se déchirait sous mes yeux. Quelque chose en moi était en train de mourir, mais je ne me laisserais pas faire ! Jamais on n'anéantirait les efforts et les sacrifices que j'avais faits pour me rendre jusque-là.

Soudain, mon intuition m'a dit que cette femme mentait et que le problème n'était pas ma voix : le problème était qu'elle ne n'aimait pas, tout simplement. La dureté de son ton, la froideur de ses yeux et la rigidité de son corps révélaient qu'elle m'attaquait personnellement. Je n'oublierai jamais ce qui s'est passé par la suite : j'ai senti une « présence » en moi. Quelque chose résistait à cette remarque désobligeante et refusait de se laisser démolir. J'ai alors senti que dans mon âme, dans mon cœur et dans ma tête, je me tenais debout ! Je n'étais peut-être pas parfaite, mais j'étais moi-même et c'était suffisant.

Je me suis plantée fermement sur mes pieds et je me suis entendue lui parler d'une voix que je ne me connaissais pas. Avec retenue et dignité, je lui ai dit que sa critique était personnelle et non professionnelle. Une évaluation doit avoir un sens, ai-je ajouté, elle doit nous indiquer la bonne direction, nous permettre de progresser, d'évoluer et de nous améliorer. Or, la sienne n'avait pour but que de me démolir. Au bout d'un moment, elle s'est excusée, mais je ne me rappelle plus exactement ses mots : j'étais trop occupée à goûter un des plus grands moments de ma vie. Ensuite elle a signé mon certificat. En sortant de la pièce, j'avais l'impression de faire mon *coming out* ! J'étais libre ! Désormais, plus rien n'était impossible ; il n'en tenait qu'à moi d'y croire.

Aujourd'hui, je gagne bien ma vie grâce à ma voix et au yoga, et lorsque par hasard je croise cette personne, je ne peux m'empêcher d'éprouver de la compassion à son égard.

C'est un peu grâce à elle si je ne laisse plus personne décider de ce que je suis, de ce que je peux ou ne peux pas faire dans la vie.

YogaMonde

Une idée folle me revenait constamment en tête. Plus je la repoussais, plus elle insistait, et chaque fois elle m'apportait un peu plus de détails et de précisions, si bien qu'un jour je me suis dit: « Et si j'ouvrais un petit studio de yoga dans le quartier ?» Pour m'en dissuader, j'ai encore une fois énuméré les mêmes peurs: pas d'argent, pas assez d'expérience, trop vieille, pas certaine d'avoir la santé nécessaire pour mener à bien ce projet, risque de perdre ma carrière, mon fonds de retraite, mon style de vie, que sais-je encore. Mais quelques minutes plus tard, j'avais réfuté ces objections, une à une, en me disant qu'il faut bien commencer quelque part, que l'expérience s'acquiert, que l'âge peut être un atout, que ce ne serait pas la fin du monde si cela ne fonctionnait pas.

Je me doutais bien que mon projet ferait sourciller plus d'une personne. « Hein ? Tu vas abandonner ta carrière pour le "yôguâ" ? » (Je les reprenais doucement: « On ne dit pas "yôguâ", mais yoga. ») « Penses-tu vraiment que tu vas gagner ta vie en chantant des "houm" assise à terre ? » (Je les corrigeais gentiment: « Ce n'est pas "houm", c'est "OM", comme dans "aum". »)

« On commence par quoi ? » m'a demandé Hélène. Même si je connaissais un peu le yoga, j'ignorais comment fonder une entreprise. « On commence par ne pas écouter ceux et celles qui veulent nous décourager ! » ai-je répondu spontanément. Le 5 juin 2002, en signant le bail du petit local déniché près de chez nous, j'avais la certitude que c'était la bonne chose à faire.

Quelques jours plus tard, je cherchais toujours un nom pour le studio. Thérèse et Denis, les parents d'Hélène, étaient à la maison. Assis autour de la piscine, nous passions en revue toutes les suggestions dans l'espoir de trouver un nom qui décrirait bien mon intention de rendre le yoga accessible au plus grand nombre. « Yoga Monde ? » J'ai lâché un cri de joie ! Le père d'Hélène venait de trouver le meilleur nom qui soit. Par la suite, puisque le mot yoga signifie « lier », « relier » et « union », nous avons décidé d'écrire en un seul mot YogaMonde.

Le jour de l'ouverture, tout le monde en ville ne parlait que de la canicule. Je revoyais les derniers détails, pendant qu'Hélène regardait à l'extérieur. « Il fait vraiment trop beau pour faire une journée porte ouverte », a-t-elle dit. Résignée, elle s'est éloignée de la fenêtre, puis elle a soupiré : « On va être chanceuses si on a cinq ou six curieux. » Pour détendre l'atmosphère, j'ai dit : « Comme nous sommes déjà deux, il y aura donc au moins sept ou huit personnes ! » Hélène m'a regardée, les sourcils froncés, ce qui signifiait qu'elle ne me trouvait pas drôle. Je partageais sa déception, car nous avions travaillé d'arrache-pied pour rénover, repeindre et décorer le studio. J'ai allumé un bâton d'encens en me disant qu'au moins je n'avais pas perdu mon sens de l'humour. Avec tous les frais que nous avions engagés, c'était le seul bon point en ma faveur.

Finalement, plus d'une centaine de personnes sont venues à l'inauguration ! Un véritable miracle, puisqu'il n'y avait aucune enseigne sur la devanture et que nous n'avions fait paraître qu'un entrefilet dans le journal local.

Plus tard dans la soirée, j'arrivais à peine à croire ce qui s'était passé. Nous étions toutes les deux à la fois heureuses et démunies. Quatre-vingt-douze personnes s'étaient inscrites ce jour-là, succès si inattendu que nous nous demandions comment nous allions nous y prendre pour répondre à une telle demande ! Le lundi matin, Hélène a téléphoné au propriétaire pour lui demander si le local adjacent au nôtre était disponible. Il l'était ! Convaincues qu'il s'agissait d'un autre signe du destin, nous l'avons loué. Mais j'ai passé la nuit suivante à me questionner. Puisque j'avais des antécédents en matière d'impulsivité, je me suis demandé si je n'avais pas agi trop vite. Était-ce irresponsable de ma part de penser que je pouvais vivre uniquement de l'enseignement du yoga ? Pouvais-je rêver si grand ? Comment allais-je concilier mon travail à la télé avec mes nouvelles responsabilités de professeure ? Je ne me souviens plus combien de temps j'ai prié, mais je me suis endormie en me disant que je préférais vivre avec un échec plutôt qu'avec le poids d'un regret !

Un an après l'ouverture du studio, en raison du nombre d'étudiants qui ne cessait d'augmenter, nous avons engagé du personnel de soutien et d'autres professeurs. Nombre de personnes ont tenté de m'en dissuader, mais j'ai néanmoins quitté le monde de la mode pour me consacrer à l'enseignement du yoga et de la méditation. J'ai fait le grand saut au même moment où l'un des mes mentors, Guy Mongrain, quittait la barre de l'émission *Salut, Bonjour !*. Je me suis inspirée de lui pour trouver le courage de changer de carrière. Et jamais je ne l'ai regretté.

Tout passe

Un soir, alors que je révisais avant un examen pour l'obtention d'un autre diplôme, Paloma est entrée dans la cuisine et est tombée. J'ai réussi à la remettre sur ses pattes, mais elle n'avait pas la force de se soutenir. Étendue sur le côté, elle me fixait de ses grands yeux bruns. Avec son increvable fidélité et son immense tendresse, j'ai compris par son regard qu'elle me demandait la permission de me quitter. Elle qui m'accompagnait depuis Provincetown devait maintenant partir. J'avais espéré par moments qu'elle serait immortelle, qu'elle serait toujours à mes côtés. Mais son vieux corps était épuisé. Durant nos seize années de vie commune, elle m'avait enseigné à faire face à la pluie et au froid sans me plaindre, à marcher lentement sans me presser, à apprécier le moment présent même lorsque j'avais mal, et finalement elle allait me montrer comment mourir avec courage, grâce et dignité. Je l'ai prise dans mes bras et l'ai remerciée, lui chuchotant que sa mission auprès de moi était terminée. Elle est partie doucement, en paix, me laissant le souvenir impérissable de ce que c'est que d'aimer sans condition.

Cette nuit-là, je n'ai pu dormir. Je suis descendue au salon et j'ai lu sur l'impermanence des êtres et des choses. J'ai souligné un passage qui disait que rien, absolument rien de ce qui existe autour de nous n'est permanent : tout naît, grandit, vieillit, puis meurt. Je relisais ces mots : « Tout passe. » Toute chose vivante a un commencement et une fin, et c'est la raison pour laquelle rien à l'extérieur de nous ne peut nous satisfaire éternellement. Tout ce que je possédais, tout ce que j'aimais serait appelé un jour à disparaître : ma jeunesse, ma condition physique, ma santé, ma relation avec Hélène, ma famille, ma carrière, mes biens matériels. Rien ne dure. Les malheurs comme les bonheurs sont impermanents. C'était à la fois une mauvaise et une bonne nouvelle. Je trouvais un peu de soulagement dans la certitude que mes problèmes, mes ennuis et mes douleurs finiraient eux aussi par passer ! Dans les mois suivants, cette leçon me serait d'un très grand secours.

Échec et mat

À travers les volets mi-clos de la maison calme et silencieuse, j'apercevais déjà le soleil s'étirer à l'horizon. L'odeur des lilas, de l'herbe mouillée et des cèdres entrait par la moustiquaire et parfumait la pièce. Ma vie était comme je l'avais toujours rêvée, à l'exception d'une chose : j'étais enfermée dans la salle de bains, assise sur le bord de la baignoire, une seringue posée sur mes genoux. Ma main droite tremblait et mon corps se recroquevillait. J'éprouvais une légère nausée à la vue de la seringue hypodermique remplie de liquide. Je me focalisais sur l'aiguille. Surtout, il ne fallait pas que je rate cette injection. J'ai retroussé la manche de mon chandail. Mon souffle était saccadé et j'agissais mécaniquement. D'un geste rapide et précis, je me suis injecté cette première dose. L'aiguille m'a fait mal. En la retirant, j'ai pensé avec soulagement que c'était fait ! J'ai regardé fixement le site de l'injection en espérant que mon corps guérirait grâce à ce nouveau traitement.

Depuis quelque temps, un nouveau médicament contre l'hépatite C était disponible. Jusque-là, le yoga, la méditation, l'homéopathie, l'ostéopathie et l'acupuncture avaient réactivé remarquablement mon système immunitaire, mais les dernières analyses sanguines avaient révélé que le virus gagnait du terrain. La prochaine étape serait peut-être une cirrhose ou le cancer du foie. Heureusement, on venait d'homologuer ce traitement fort prometteur, appelé « association interféron pégylé-ribavirine », qui comportait deux médicaments : l'interféron, à injecter ; et la ribavirine en comprimés à avaler. La combinaison de ces produits causait des effets secondaires graves, car c'était de l'artillerie lourde. J'avais beaucoup hésité à entreprendre ce traitement, mais une amie m'avait encouragée en me disant que si un virus est assez tenace pour rester dans le sang pendant vingt-cinq ans, ce n'est sûrement pas du jus de pissenlit qui va en venir à bout ! J'avais donc décidé d'en finir avec cette maladie et je m'étais convaincue que ni la fièvre, ni les courbatures, ni les vomissements, ni les maux de tête, ni les frissons ne réussiraient à m'ébranler.

Contrairement à la première injection, la seconde m'a fait moins peur. Je me représentais l'interféron comme un élixir de guérison. Mais une heure plus tard, ça n'allait plus. Je ne sentais plus mes jambes ni mes pieds. J'ai tenté de me lever, mais je suis tombée.

Quelques jours plus tard, on a diagnostiqué une neuropathie périphérique, communément appelée « syndrome du pied tombant ». Au cours des semaines suivantes, les médecins ont tenté de comprendre cette réaction. S'ils ne s'entendaient pas sur les causes du syndrome, ils étaient toutefois d'accord sur un point : cette brève tentative de traitement était un échec. Il me faudrait attendre cinq longs mois avant de retrouver le plein usage de mon pied droit.

Méditations pour mieux vivre

On m'avait prévenue que l'hépatite C est une maladie mystérieuse. Elle peut disparaître pendant des mois, puis ressurgir violemment. Le virus s'étant senti attaqué par le médicament, il s'était brusquement réveillé et avait sauvagement déclaré la guerre à mon système immunitaire. Il m'avait attaquée avec une telle force vengeresse que j'avais de la peine à bouger. Jamais auparavant je n'avais eu à supporter tant de douleurs physiques. Une terrible inflammation touchait toutes les parties de mon corps. Désespérée, je me sentais perdue entre deux réalités : celle d'une guérison impossible et celle d'un corps massacré. Tout ce dont j'avais rêvé — vaincre le virus, guérir de la maladie et retrouver la santé — avait disparu en fumée.

En ce mois d'avril 2005, on aurait cru que je n'avais jamais pratiqué le yoga ni jamais médité, tellement j'étais secouée par la peur, la colère et la souffrance. Je remettais tout en question et je me serais sans doute perdue dans les idées noires si je n'avais découvert la *Méditation de la montagne*, guidée par Jon Kabat-Zinn. Je l'ai écoutée en boucle tous les jours pendant des semaines. Pour continuer à vivre avec cette maladie, j'avais besoin de ces paroles qui m'invitaient à me voir aussi solide et stable qu'une montagne. C'était ce que j'avais besoin d'entendre en cette période où tout en moi affirmait le contraire. Pendant de longues journées difficiles, je m'exerçais à rester calme comme une montagne au milieu des intempéries. Après quelque temps, j'en suis arrivée à oublier la douleur, la peur, le doute et l'angoisse. Cette méditation m'a aidée à rétablir en moi la confiance nécessaire pour me remettre en route vers la guérison.

J'étais de plus en plus déterminée à reprendre le plein contrôle de ma santé, et au fil des semaines mon corps a suivi ma volonté. Depuis, il n'a cessé de forcer mon admiration. J'ai découvert en lui un doux batailleur. Un peu à la manière d'un serpent qui, lors de la mue, se libère de sa vieille peau, il est redevenu plus fort, plus souple et plus vivant qu'avant. Grâce aux bons soins d'un homéopathe, de mon ami ostéopathe René Pelletier et de mon acupuncteur, j'ai retrouvé progressivement ma vitalité. Un peu plus tard, une naturopathe m'a appris que la consommation de blé, sous toutes ses formes, et de produits laitiers pourrait être une des causes de l'inflammation. Une fois de plus, j'ai accepté volontiers de modifier mon régime alimentaire. Je sentais revenir en moi mon enthousiasme naturel et débordant pour la vie.

Au cours du printemps de 2006, j'ai commencé l'enregistrement d'un coffret de méditations que j'ai intitulé *Méditations pour mieux vivre.* J'ai toujours aimé partager ce que je vis et je voulais, en parlant de mes expériences, redonner un peu de ce que j'avais reçu. La sortie du coffret en magasin était prévue pour le 4 décembre. Jon Kabat-Zinn a eu la générosité de m'accorder la permission de traduire et d'enregistrer la *Méditation de la montagne.* J'avais maintenant la preuve que méditer peut aider à soutenir un processus de retour à la santé physique et mentale, et je voulais partager cette découverte avec les gens. Un mois plus tard, alors que je terminais le projet d'enregistrement, j'ai découvert Stephen Levine.

Selon ce professeur de méditation bouddhiste, pour guérir, on doit abandonner tout attachement excessif à l'espoir de voir la « guérison » se produire comme on le désire. Toute volonté compulsive de guérir dirige notre attention non pas sur la guérison, mais sur la maladie. J'étais bouleversée par ce que j'apprenais et je savais qu'il avait raison. Tout en restant pleinement engagée dans mon processus de retour à la santé, je devais prendre du recul pour permettre à la transformation de se faire. J'ai commencé à pratiquer la méditation de la guérison telle qu'enseignée par Stephen Levine. J'ai même décidé de ne plus jamais parler de l'hépatite C en l'appelant « ma » maladie. J'avais compris qu'il ne s'agissait pas de moi. Ce n'est pas « mon hépatite », mais plutôt « l'hépatite C ». Depuis, je reste toujours un peu interloquée lorsque j'entends des gens dire « mon mal de dos », « mes migraines », « mon cancer »... Jusqu'à ce jour, j'avais reçu des enseignements de toutes sortes, mais celui de Stephen Levine a jeté sur moi un éclairage franc et direct sur le processus de guérison. Il ne faut jamais s'identifier à une maladie, ni à une circonstance, ni à un problème. Cette prise de conscience allait me donner l'outil nécessaire pour redéfinir « ma guérison ».

Un mois plus tard, Stephen Levine m'a lui aussi donné la permission d'ajouter à mon coffret sa *Méditation de la guérison*. J'étais maintenant prête à partager avec le public les techniques qui m'aidaient à mieux vivre. Mais je ne pouvais espérer guider les gens dans des explorations intérieures sans être totalement honnête quant à mes propres souffrances. J'ai donc profité du lancement du coffret pour annoncer publiquement que j'avais l'hépatite C. Après la diffusion de cette confession, j'ai reçu de nombreux messages d'encouragement. Le coffret s'est vendu à des dizaines de milliers d'exemplaires, mais rien n'est comparable au soutien que le public m'a témoigné dans les jours, les mois et les années qui ont suivi. J'ai reçu beaucoup, beaucoup d'amour, et cela a fait une grande différence dans ma vie.

Ancrage

Je termine une séance de méditation. Il est sept heures du matin. La maison est baignée de soleil et le ciel est inondé de bleu. Je déroule un tapis et j'exécute calmement des mouvements de qi gong. Depuis que j'ai découvert ce prodigieux outil de transformation, je m'en sers tous les jours. Pendant la séance, le temps n'existe pas et j'oublie les douleurs, peurs, espoirs, angoisses, chagrins et regrets. Je suis totalement dans le moment présent. L'énergie qui émane de l'union de mon souffle, de mon attention et des exercices est une énergie qui guérit mon corps et apaise mon esprit. Plus tard, vers la fin de l'après-midi, je pratique le yoga et j'étudie le bouddhisme.

En janvier 2007, après dix ans de lecture et d'étude des diverses philosophies occidentales et orientales, je suis devenue bouddhiste. Je ne cherchais pas une autre religion, ni un « nouveau nom », ni une autre étiquette. Je voulais simplement pratiquer sérieusement cette philosophie de vie fondée sur la compassion. Dans mon quotidien, le bouddhisme m'enseigne à ne pas critiquer, comparer ou juger la nature humaine et ses difficultés. Aujourd'hui, par mon travail, j'essaie de me servir de mes expériences avec la douleur, la peur, la dépendance et la souffrance pour aider les personnes qui m'entourent. Je sais que c'est en adoucissant mon regard envers moi-même et les autres que ma vie deviendra beaucoup plus sereine.

Je vois aussi les choses différemment. Je sais par exemple que ce n'est pas la maladie qui nous fait souffrir, mais bien plutôt la peur. Or, la guérison, qu'elle soit physique, psychique, émotionnelle ou spirituelle, se situe au-delà de la peur. Par conséquent, la peur ne pourra jamais nous protéger de la maladie. Elle ne fait que transformer une douleur en souffrance. En cela, « la souffrance est optionnelle » ! Tout cela peut sembler naïvement optimiste, mais cette prise de conscience me donne la force de continuer à croire en la guérison complète de mon être — corps, cœur et esprit.

Un cadeau « mal emballé »

Aujourd'hui, je sais que nous souffrons énormément quand nous nous croyons seul à subir les difficultés de la vie, comme la maladie, la perte d'un emploi, un divorce, la disparition d'un être cher. Nous avons tendance à oublier que chacun, sans exception, jeune ou vieux, riche ou pauvre, célèbre ou inconnu, doit vivre en alternance des moments de bonheur et de malheur, des périodes de santé florissante entrecoupées de maladies. Chacun doit expérimenter des éloges suivis de blâmes, des succès, des échecs, des plaisirs et des angoisses. Nous sommes constamment secoués par les vents de l'impermanence, par les changements et l'insécurité. Mais je crois sincèrement que nous venons sur terre parfaitement équipés pour faire face à tous nos problèmes et que nous portons en nous les réponses à nos questions. La vie est une suite d'expériences et de leçons auxquelles nul n'échappe. Chacune d'entre elles a sa raison d'être.

Je sais maintenant pourquoi j'ai reçu le diagnostic d'une maladie chronique. L'hépatite C a été un cadeau, peut-être « mal emballé », mais tout de même un cadeau offert par la vie pour que je puisse mourir à mes peurs et renaître. Et même si, physiquement, mon corps doit continuer à lutter contre le virus, je considère que je suis guérie. Grâce à cette maladie, j'ai vécu une autre forme de guérison, une véritable transformation, celle qu'on appelle la guérison du cœur. Depuis, j'ai une foi immense et inébranlable, et je continue à croire qu'un jour, je vivrai une guérison complète de mon être.

* * *

Août 2009. Je venais de terminer l'enregistrement d'un nouveau coffret de réflexions personnelles et de méditations intitulé *Une année pour mieux vivre*. Ce projet m'avait demandé plusieurs mois de travail et j'étais vraiment heureuse du résultat. J'avais l'impression d'être à la fin d'un très long voyage et de pouvoir enfin déposer mes bagages. Ce jour-là, j'ai demandé à mon ami coiffeur Stéphane W. de couper mes cheveux très courts. Je les avais toujours portés longs, mais j'avais le goût de refléter extérieurement la grande et merveilleuse transformation que je vivais à l'intérieur. Par la suite, chaque fois que je passerais devant un miroir et que j'apercevrais cette nouvelle tête, j'aurais le sentiment de recevoir encore et toujours la même confirmation, celle de ma libération !

Merci la vie !

À l'instant où j'écris ces mots, j'ai peine à croire à quel point le temps a filé. Hélène et moi célébrerons bientôt nos vingt ans de vie commune et d'amour. Nous avons maintenant deux chiens : Kenzo, notre caniche royal noir, et Lola, notre chihuahua. J'enseigne toujours avec autant de passion le yoga, le qi gong et la méditation. Et, devinez quoi ? Hélène aussi. Tous les ans, depuis dix ans, nous retournons à Maya Tulum, car c'est à mon tour de guider des retraites annuelles de transformation.

Il y a quelques jours, alors que j'étais à terminer l'écriture de ce livre, je me sentais à la fois heureuse, mais aussi extraordinairement émue. En écrivant cet ouvrage, j'ai pu revivre ma vie et me réconcilier avec toutes les parties de moi. En fait, cette autobiographie est pour moi une véritable renaissance. Pour souligner l'événement, nous avons organisé une fête à la maison. Puisque mon anniversaire approchait, Hélène en a profité pour faire un gâteau. J'ai soufflé les bougies d'un seul souffle, avec tant de reconnaissance… Je sais que la vie est courte et qu'elle est précieuse. Je sais aussi à quel point j'ai de la chance d'être vivante et je ressens une gratitude sans bornes envers la vie.

Lorsque nos invités sont partis, Hélène et moi sommes restées assises au salon. Sur mes genoux, je tenais une grosse boîte. Elle était légère. Je l'avais voulue ainsi. « Es-tu prête ? » ai-je demandé à Hélène qui n'avait aucune idée de ce qu'il y avait dans cette boîte. « Vas-y, ouvre-la ! » s'est-elle exclamée avec enthousiasme.

Au fond de la boîte, il y avait un poème. Un simple poème, mais qui résumait toute ma vie. Et dans mes yeux brillaient des larmes de joie.

Réponse à mes prières[2]...

J'ai demandé à la Vie de me donner la force,

Elle m'a donné des épreuves à traverser.

J'ai demandé à la Vie de me donner la sagesse,

Elle m'a donné des problèmes à résoudre.

J'ai demandé à la Vie de me donner la richesse,

Elle m'a donné un cerveau et deux bras pour travailler.

J'ai demandé à la Vie de me donner du courage,

Elle m'a donné des défis à relever.

J'ai demandé à la Vie de me donner de l'amour,

Elle a mis sur mon chemin des gens difficiles à aimer.

J'ai demandé à la Vie de me faire des faveurs,

Elle m'a donné des occasions à saisir.

Dans ma vie, je n'ai jamais reçu ce que j'avais demandé,

Mais j'ai toujours obtenu tout ce dont j'avais besoin !

---

2. Traduction libre. Extrait de *The Eight Human Talents,* de Gurmukh (New York, Harper Collins).

Table des matières

Suivez-nous sur le Web

Consultez nos sites Internet et inscrivez-vous à l'infolettre pour rester informé en tout temps de nos publications et de nos concours en ligne. Et croisez aussi vos auteurs préférés et notre équipe sur nos blogues !

EDITIONS-HOMME.COM
EDITIONS-JOUR.COM
EDITIONS-PETITHOMME.COM
EDITIONS-LAGRIFFE.COM

Marquis imprimeur inc.

Québec, Canada
2012

Achevé d'imprimer au Canada
sur papier Enviro 100% recyclé